1권 5-7세 (유치부) 가정용

주제: 예수님에 대해 배워요

I learn about Jesus

두란노

예꿈 둘러보기

Bible Story

가정에서 다시 만나는 성경 이야기

매주 교회에서 배운 말씀을 부모님과 함께 읽을 수 있도록 하였습니다. 어린이가 모르는 단어나 개념이 있다면 쉽게 이해할 수 있는 말로 다시 설명해 주세요. 가장 훌륭한 교사는 바로 부모입니다.

교회에서 함께하는 소그룹 활동

매주일 교회에서 선생님과 친구들과 함께
소그룹으로 모여 말씀을 배우도록 준비하였습니다.
다양한 활동을 통해 하나님의 말씀을
만나고 느낄 수 있습니다.

뚝딱 뚝딱 만들면서 배우는 하나님 말씀

직접 오리고 붙이고 그리는 흥미로운
활동들은 어린이들의 삶 속에서 말씀을
재미있게 만나도록 도울 것입니다.

나는 하나님의 걸작품

"내 어머니의 모태에서 나를 만드셨습니다."(시편 139:13)

예꿈이는 교회에서 멋진 액자를 만들었어요.
집으로 돌아오는 길에,
예꿈이는 찬양을 불렀지요.
"날 사랑하심~ 날 사랑하심~ 성경에 써있네~
엄마, 하나님은 나를 정말 사랑하시나요?"
"그럼. 하나님이 예꿈이를 얼마나 많이 사랑하시는데."
"왜 나를 사랑하시죠?" 예꿈이는 궁금했어요.
"예꿈아, 너한테 그 액자가 굉장히 특별해 보이는데 그게 그렇게 좋니?"
"그럼요, 내가 만들었으니까요."
"그것과 똑같은 거야. 하나님은 예꿈이를 만드셨거든.
그래서 너는 하나님께 아주 소중하단다."
"그럼 내가 이 액자를 좋아하듯이
하나님도 나를 좋아하세요?"
"그것보다 훨씬 더 많이
너를 사랑하신단다."
"와! 정말 신난다!
나를 하나님이 만드셨지!
나는 하나님의 걸작품!"
집에 돌아온 예꿈이는
자기를 사랑해 주시는
하나님께 감사드렸어요.

함께 읽고 느끼는 지혜의 이야기

지혜의 이야기는 일상생활에서 일어날 수 있는 다양한 상황들을 통해 어떻게 하나님의 말씀을 적용하고 아이들과 나눌 수 있는 지에 대해 말해줍니다. 아이들과 함께 읽고 이야기를 나누는 과정 속에서 하나님의 지혜를 배워 보세요.

엄마와 함께 말씀을 읽고 외워 보세요

113쪽 스티커를 빈 칸에 붙여 보세요. 말씀이 완성되었나요?
부모님을 따라 한마디씩 읽어 보세요.

이 을
처럼 하사
를 주셨으니
이는 저를 믿는 자마다
멸망치 않고 을
얻게 하려 하심이니라

쓰면서 배우는 하나님 말씀

하나님 말씀을 따라 쓰면서 의미를 생각해 보고 말씀과 친숙해지도록 하였습니다.

쓱싹 쓱싹 만들면서 배우는 하나님 말씀

어린이가 듣고 보고 만지는 오감각의 활동을 통해 전인적인 발달을 이루도록 하였습니다.

색색 카드 그림 짝을 찾아라!

115쪽의 스티커를 떼어 아래의 글을 읽고 알맞은 곳을 찾아 붙여 보세요.
그림과 색깔을 보면서 어떤 느낌이 드는지 이야기해 보세요.

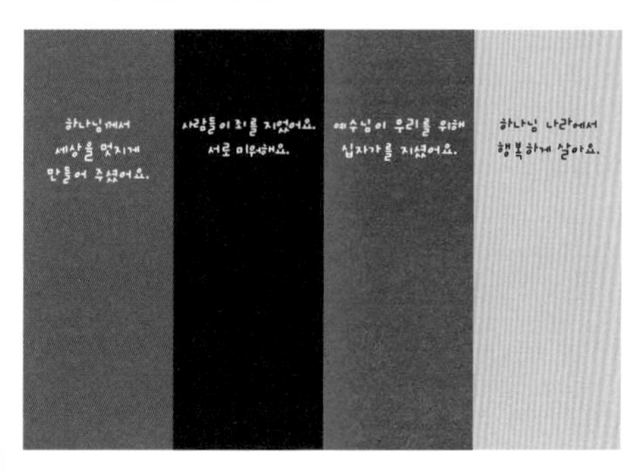

가족활동- 부활소식 전하기

105쪽의 그림을 떼어 선을 따라 접으면 예쁜 상자가 됩니다.
속에 달걀을 넣어 친구에게 선물하세요.
예수님께서 죽었다가 다시 살아나신 소식을 전해요

가족과 함께 하는 체험 활동

매주 새롭게 경험할 수 있는 다양한 체험활동을 넣었습니다. 이 활동을 통해 가족들만의 이벤트를 만들어 보세요.

★ 본 교재의 만들기 활동에서 '———'은 '선 따라 자르기', '—·—·—'은 '밖으로 접기', '------'은 '안으로 접기', '/////'은 '풀칠하기'를 나타냅니다.

차례 Contents

1. 어린이들이 예수님에 대해 알게 되었어요

마가복음 10장 13-16절

예수님 주위에는 항상
예수님을 따르는 어른들이 많았어요.

어린아이들도 예수님을 보고 싶었어요.
'예수님은 어떤 분일까? 어떻게 생기셨을까? 나도 좋아해 주실까?'
어린아이들은 예수님께 가까이 가고 싶었어요.
하지만 키 큰 어른들 틈에 끼여 예수님의 얼굴도 볼 수가 없었지요.
이쪽으로 가도, 저쪽으로 가도 예수님을 볼 수가 없었어요.

베드로와 제자들이 이런 어린아이들을 보고, 손을 저으며 말했어요.
"얘들아, 여기는 너희 같은 어린아이들이 올 곳이 아니야.
예수님은 너무 바쁘셔서 너희들을 만날 시간이 없단다.
어서 집으로 가거라."

부모님께 예수님은 어린이들을 사랑하셨습니다.
자녀에게 예수님이 얼마나 사랑하시는지 알려주세요. 예수님이 아이를 안고 축복하시듯 아이를 꼭 끌어안고 축복해 주세요.

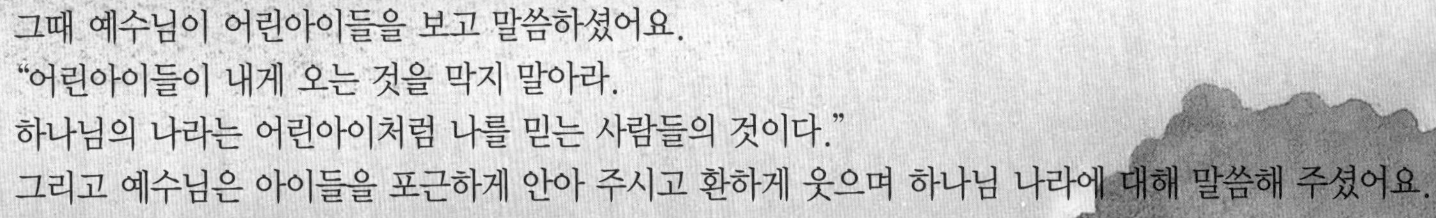

그때 예수님이 어린아이들을 보고 말씀하셨어요.
“어린아이들이 내게 오는 것을 막지 말아라.
하나님의 나라는 어린아이처럼 나를 믿는 사람들의 것이다.”
그리고 예수님은 아이들을 포근하게 안아 주시고 환하게 웃으며 하나님 나라에 대해 말씀해 주셨어요.

예수님 주위에 모인 아이들은 행복했어요.
부드럽게 말씀하시며 두 팔로 꼬옥 안아 주시는
예수님의 따뜻한 마음, 큰 사랑을 느낄 수 있었지요.
베드로와 제자들도 그런 예수님의 사랑을 보았어요.
함께 있던 모든 사람들이 예수님이 어린아이들을
얼마나 사랑하시는지 알게 되었답니다.

생각해요
- 예수님과 함께 있던 아이들의 표정은 어땠을까요?
- 예수님은 아이들에게 뭐라고 말씀하셨을까요?
- 예수님이 나를 안아 주시면 어떤 마음이 들까요?

기도해요
나와 같은 어린아이를 안아 주시고 축복하신
예수님, 사랑해요.

예수님이 사랑하는 ○ ○의 방

다음 그림을 오려서 내 이름을 쓰세요.
방 문에 장식해 보세요.

"예수님은 나를 사랑하세요."
언제나 기억하세요.

엄마와 함께 말씀을 읽고 외워 보세요

113쪽 스티커를 빈 칸에 붙여보세요. 말씀이 완성되면 부모님을 따라 한마디씩 읽어 보세요.

□ 들이

내게 오는 것을

용납하고 금하지 말라

가

이런 자의 것이니라

마가복음 10장 14절

나는 하나님의 걸작품

"내 어머니의 모태에서 나를 만드셨습니다."(시편 139:13)

예꿈이는 교회에서 멋진 액자를 만들었어요.
집으로 돌아오는 길에,
예꿈이는 찬양을 불렀지요.
"날 사랑하심~ 날 사랑하심~ 성경에 써있네~
엄마, 하나님은 나를 정말 사랑하시나요?"
"그럼. 하나님이 예꿈이를 얼마나 많이 사랑하시는데."
"왜 나를 사랑하시죠?" 예꿈이는 궁금했어요.
"예꿈아, 너한테 그 액자가 굉장히 특별해 보이는데 그게 그렇게 좋니?"
"그럼요, 내가 만들었으니까요."
"그것과 똑같은 거야. 하나님은 예꿈이를 만드셨거든.
그래서 너는 하나님께 아주 소중하단다."
"그럼 내가 이 액자를 좋아하듯이
하나님도 나를 좋아하세요?"
"그것보다 훨씬 더 많이
너를 사랑하신단다."
"와! 정말 신난다!
나를 하나님이 만드셨지!
나는 하나님의 걸작품!"
집에 돌아온 예꿈이는
자기를 사랑해 주시는
하나님께 감사드렸어요.

나의 예수님

여러 가지 재료를 이용해서
예수님의 모습을 꾸며 보세요.
꾸민 후 벽에 걸어 보세요.

이런 재료는 어때요?
천조각, 색종이, 구슬,
파스텔, 털실, 잡지책,
곡식알, 빨대조각

가족활동- 가정 예배드리기

새해가 시작되었어요! 새해를 맞이하는 가정 예배를 드리세요.
새해의 기도 제목을 가족들과 이야기하고 함께 기도해요.

예배를 사랑하는 예배 공동체, 예꿈이네집 예배는요~~

우리는 예배드릴 때 항상 방석을 놓아요.
우리 가족은 네 명이지만 방석은 다섯 개를 놓지요.
한 자리는~ 예수님 자리랍니다.

찬양해요: 우리가 좋아하는 찬양을 불러요.

기도해요: 하나님, 이곳에 와 주세요. 우리 모두 하나님을 만나기 원해요. 하나님 환영해요.

말씀을 읽어요: 성경을 펴고 엄마가 읽어 주시면 따라 읽어요(요 15장 5-6절).

엄마의 말씀: 오늘 화단에서 잘린 나뭇가지를 보았지? 가지가 잘리면 가지에 달린 열매는 어떻게 될까? (예꿈이: 말라 죽어요.) 그래. 예수님은 포도나무시고 우리는 가지야. 우리는 예수님께 꼭 붙어 있어야 살 수 있어. 예수님께 꼭 붙어 있으려면 어떻게 해야 할까? (예꿈이: 기도해요, 찬양해요?) 그래, 기도하고 찬양하고 말씀을 들으면서 예수님을 매일 만나는 거야. (예꿈이: 엄마! 지난 여름에 바다에서 수영할 때 예찬이가 아빠에게 꼭 매달려 있을 땐 물을 안 먹었잖아요. 그렇게 예수님을 꼭 잡고 있어야 돼죠?) 그래. 그렇지.

함께 기도해요: 예수님은 포도나무요 우리는 가지라고 했어요. 예수님께 꼭 붙어 있어 떨어지지 않게 도와주세요. 예수님을 사랑해요.

주기도문 찬양을 해요.

축복 찬양을 해요: '주의 자비가 내려와', '사랑의 주님이 날 사랑하시네' 율동이 있는 찬양을 하며 가족끼리 사랑을 나눠요.

우리 가족은 예배 시간이 정말 즐거워요!!!

2. 성전에 있던 사람들이 예수님에 대해 알게 되었어요

누가복음 2장 41~52절

부모님께 자녀들은 예수님의 어렸을 때 모습을 배웠습니다. 아이가 예수님처럼 지혜롭고 슬기롭게 자라가길 소원하세요. 작년에 비해 많이 큰 모습을 격려해 주고 얼마나 사랑스러운지 이야기해 주세요.

예수님이 열두 살 되던 해였어요.

예수님은 유월절을 지키기 위해 어머니 마리아와 아버지 요셉을 따라서 예루살렘으로 가게 되었어요.

드디어 예루살렘에 도착했어요.
예수님은 크고 아름다운
하나님의 성전을 보고 놀랐어요.

유월절 절기를 지키고
집으로 돌아오는 길이었어요.
출발한 지 하루가 지나서야
요셉과 마리아는
예수님이 없어진 것을 알게 되었지요.

마리아와 요셉은 예루살렘으로
다시 돌아가면서
예수님을 찾기 시작했어요.

3일이 지나서야 성전에서 선생님들율법학자들 사이에 앉아서
듣기도 하고 묻기도 하는 예수님을 발견했어요.
사람들은 예수님의 지혜와 슬기에 매우 놀랐어요.
요셉과 마리아도 놀라며 물었지요.
"예수야, 널 얼마나 찾았는지 아니?"
그러자 예수님이 말씀하셨어요.
"어머니, 제가 하나님 아버지의 집에 있어야 하는 줄 모르셨어요?"

예수님은 지혜와 키가 자라며
하나님과 사람들에게 사랑스러워지셨어요.

생각해요 • 예수님은 어떤 어린이였을까요?

기도해요 예수님도 나처럼 어린이였다는 것이 정말 신기해요.
나도 예수님처럼 잘 자라게 해 주세요.

무슨 말이 숨어 있을까요?

글자 퍼즐을 맞춰 보세요.

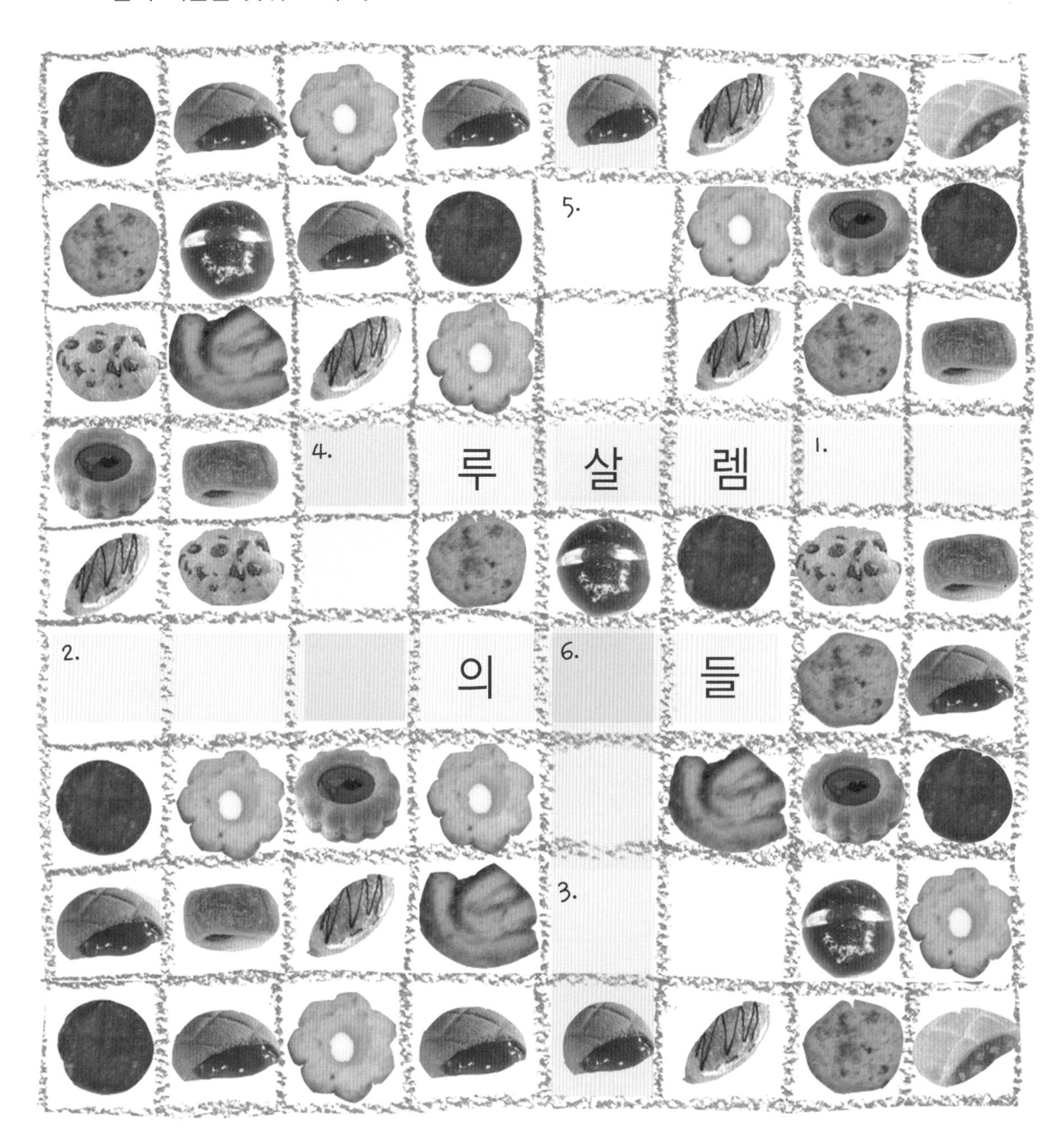

가로 열쇠

1. 예수님의 부모님은 예수님을 어디에서 찾았나요?
2. 예수님은 누구실까요?
3. 예수님은 키와 함께 무엇이 자라났나요?

세로 열쇠

4. 하나님의 아들은 누구일까요?
5. 예수님이 성전에서 선생님들과 이야기를 나누셨을 때 몇 살이었을까요?
6. 예수님은 하나님을 이렇게 불러요.

엄마와 함께 말씀을 읽고 외워 보세요

흐린 글씨를 따라 천천히 써 보세요.
말씀이 완성되면 부모님과 함께 한 마디씩 주고 받으며 읽어 보고 외워도 보세요.

어린아이들이

내게 오는 것을

용납하고 금하지 말라

하나님의 나라가

이런 자의 것이니라

마가복음 10장 14절

예수님 닮은 내 모습

지혜롭고 사랑스러웠던
어린 예수님의 모습을 닮기를 원합니다.
예수님 닮은 내 모습을 사진으로 찍고,
어떤 모습인지 글로 써 주세요.

어디 어디 숨었나?

아래의 ◯속에 있는 사람들을 그림 속에서 찾아 보세요.

예수님

뛰는 아이

아기 안은 아주머니

장난하는 아이

대제사장들

가족활동- 나는야 성경박사

가족들과 함께 교회역할놀이를 해 보세요.
자녀가 하나님의 말씀을 전하는 목사님 또는 전도사님의 역할을
해 보도록 격려해 주세요. 주일학교에서 들었던 성경이야기를
가족들에게 들려주면서 자녀 스스로 이야기를 정리할 수 있습니다.
이야기를 들은 후에는 묻고 답하는 시간도 가져 보세요.
이때에는 자녀가 쉽게 답할 수 있는 질문을 함으로써
말씀에 대한 흥미와 자신감을 얻을 수 있도록 돕습니다.

3. 베드로는 예수님에 대해 알게 되었어요(1)

누가복음 5장 1~11절

베드로는 예수님의 말씀에 따라
바다 깊은 데로 나가 그물을 던졌어요.
그랬더니 그물이 찢어질 정도로
많은 고기를 낚을 수 있었어요.

"베드로야, 나를 따르라.
나의 제자가 되거라."

"오, 주님!
저는 이 바다를 사랑하고
제가 가진 배와 그물을 사랑하지만
이 모든 것보다 주님을 더 사랑합니다.
저는 주님을 따라가겠습니다."

부모님께 어린이들은 어부 베드로가 예수님의 부름에 응답한 말씀을 들었어요. 자녀들에게 예수님을 따른다는 것이 무엇을 의미하는지, 왜 따라야하는지를 알려주는 것이 중요합니다. 부모님이 먼저 예수님의 제자가 되는 것의 의미를 생각해 보시고 쉬운 말로 자녀에게 설명해 주세요.

생각해요

- 내가 베드로였다면 예수님의 말씀을 따라 그물을 던졌을까요?
- 예수님을 따르는 사람들을 제자라고 합니다. 나도 예수님의 제자일까요?

기도해요 예수님을 항상 따라가는 제자가 되고 싶어요.

예수님께 가는 길은?

엄마와 함께 말씀을 읽고 외워 보세요

113쪽 스티커를 빈 칸에 붙여 보세요. 말씀이 완성되었나요?
부모님을 따라 한마디씩 읽어 보세요.

이 을

처럼 하사

를 주셨으니

이는 그를 믿는 자마다

멸망하지 않고 을

얻게 하려 하심이라

요한복음 3:16

나 따라해 봐요!

누구를 따라 해보고 싶나요?

우리는 누구를 따라 닮아가야 할까요?

예수님을 따라가요

예수님이 끌어 주시는 킥보드를 타면
얼마나 신날까요?
킥보드를 오려 내고 접어서 세워요.
107쪽에 있는 예수님과 사람들 그림을 오려서
나와 친구들의 얼굴을 그리고,
킥보드 위에 붙이세요.

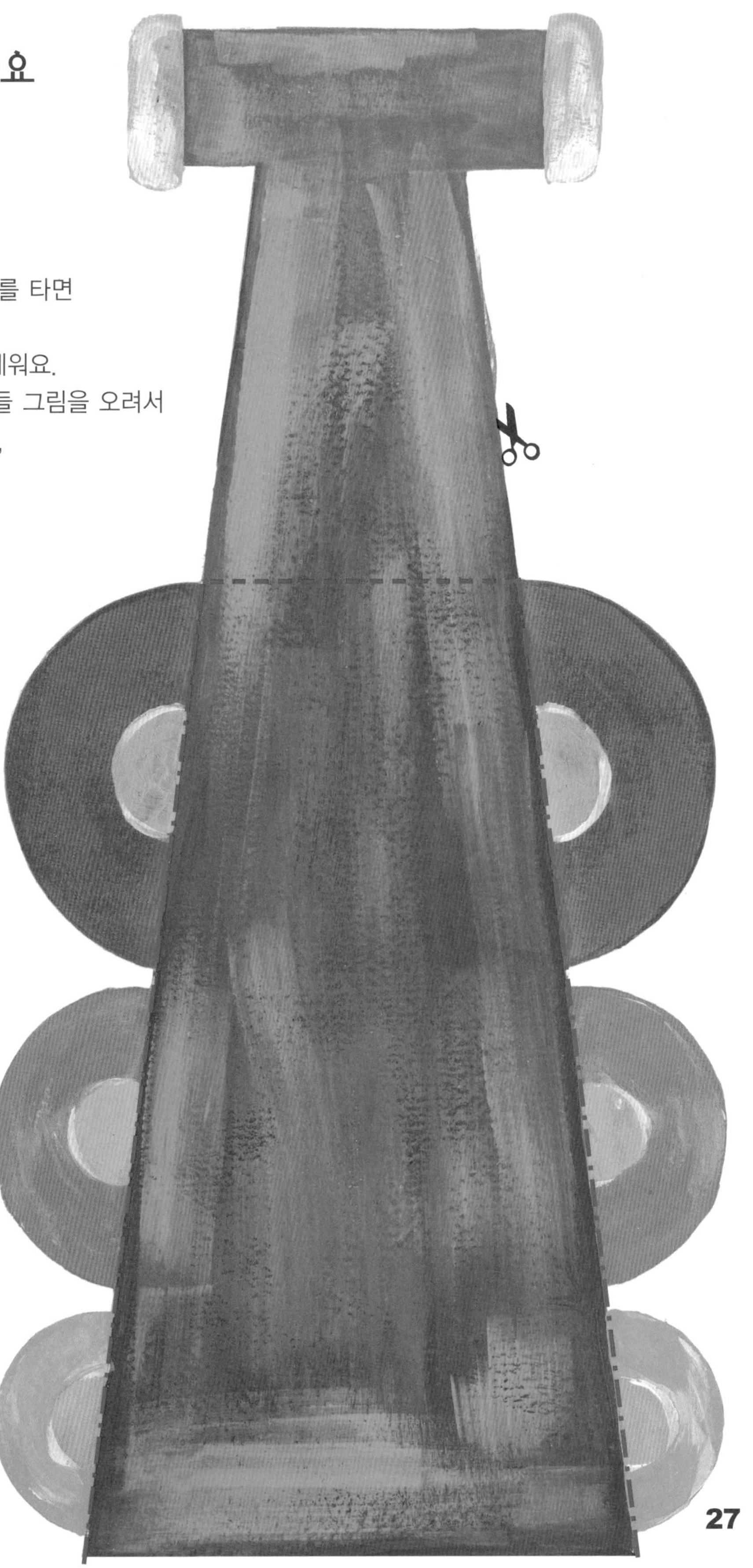

가족활동- 나도 할 수 있어요

나는 어린아이지만, 내가 할 수 있는 일들이 있어요.
어떤 것들이 있을까요?

113쪽의 스티커에서 골라 '내가 할 수 있는 일' 칸에 붙여 보세요.
잘 지킬 수 있게 해 달라고 하나님께 기도하고 부모님과 약속해요.

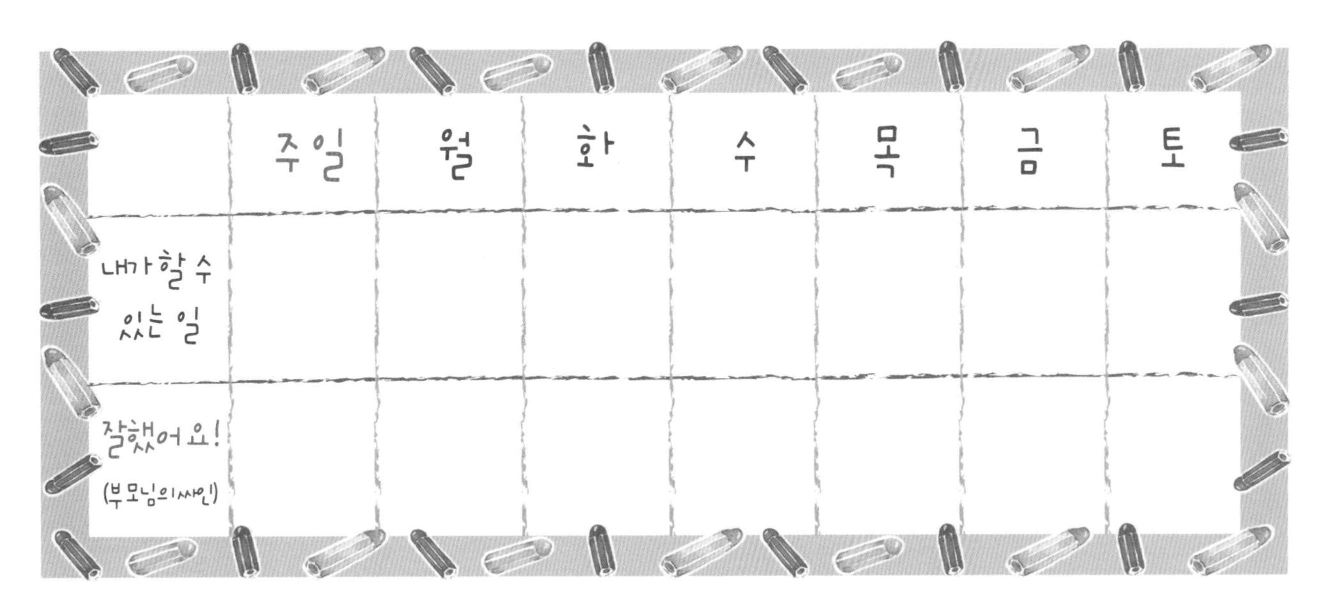

	주일	월	화	수	목	금	토
내가 할 수 있는 일							
잘했어요! (부모님의 싸인)							

부모님께

자녀들이 스스로 지켜야 할 일이라고 생각하는 것을 정해서 약속을 정하는 것은 자율성을 길러 줄 수 있는 좋은 방법입니다. 스스로 약속을 한 것에 대해서 지켜 나갈 때 하나님의 마음이 어떠하실지, 그리고 부모님의 마음은 어떨지에 대해서 이야기를 나누도록 합니다.

4. 베드로는 예수님에 대해 알게 되었어요(2)

마태복음 14장 22~33절

부모님께 자녀들은 폭풍우를 잠잠케 하신 예수님의 능력을 보았습니다. 예수님은 자연을 다스리는 능력이 있으심을 알았어요. 우리가 두려울 때 예수님이 함께하신다는 것을 이야기해 주세요.

생각해요
- 배가 폭풍우에 휩싸였을 때 베드로와 제자들은 어떻게 생각했을까요?
- 우리가 두려움에 떨고 있을 때 예수님이 도와주신다면 어떻게 될까요?

기도해요 내가 무서워할 때 예수님을 부르게 해 주세요.

고양이는 내 마음을 알까?

"장래에 소망을 주려하는 생각이라."(예레미야 29:11)

얼마 전 대전으로 이사 온 예꿈이는
헤어진 친구들이 너무 보고 싶었어요.
그리운 친구들 생각에 시무룩해 있던 예꿈이에게 엄마가 기쁜 소식을 전해주셨어요.
"우리 집 야옹이가 새끼를 낳았단다. 지금 뒷베란다에 있어."
"정말이요?"
예꿈이는 베란다로 뛰어갔어요.
그런데 그곳에는 빈 상자 밖에 없었어요.
엄마와 예꿈이는 고양이들을 찾기 시작했어요.
한참만에 고양이와 새끼들이 예꿈이의 침대 밑에 있는 것을 발견했어요.
"야옹아, 여기 있었구나. 내 침대 밑이 더 좋니? 그럼, 여기 있어."
"예꿈아, 사람들이 많이 드나드는 여기보다는
베란다가 새끼고양이들에게 더 안전하단다."
엄마가 설명해 주셨어요.
"야옹아, 여긴 위험해. 내가 베란다로 데려다 줄께."
예꿈이와 엄마가 새끼들을 옮기는 동안, 야옹이는 가기 싫은지 계속 울었어요.
고양이들을 모두 옮긴 후에 엄마가 말씀하셨어요.
"우리하고 야옹이가 똑같은 것같구나.
하나님께서 더 좋은 곳으로 옮겨주시는데도 우리는 싫다고 계속 불평만 하잖아."
"그래요? 그래도 서울에 있는 친구들이 보고 싶어요."
"엄마도 서울이 그립단다.
지금은 알 수 없지만, 하나님은 항상 최고로 좋은 것을 주신다고 믿어.
예꿈아, 곧 좋은 친구들을 만나게 해주실거야. 예꿈이, 화이팅!"
예꿈이와 엄마는 하이파이브를 하여 손뼉을 마주쳤어요.

굿~

냐옹~

끝까지 믿어야 해요.

아래 바다의 칼집에 107쪽의 베드로를 끼워 움직이며 이야기합니다.

베드로 : 예수님, 살려 주세요!

예수님 : 베드로야, 왜 의심하느냐? 믿음을 가지거라.

베드로 : (다시 물 위로 올라온 후)예수님은 정말 하나님의 아들이십니다!

엄마와 함께 말씀을 읽고 외워 보세요

흐린 글자를 따라 천천히 쓰고, 부모님과 함께 한 마디씩 주고 받으며 읽어 보고 외워도 보세요.

하나님이 세상을

이처럼 사랑하사

독생자를 주셨으니

이는 그를 믿는 자마다

멸망하지 않고 영생을

얻게 하려 하심이라

요한복음 3장 16절

짠! 예수님이 함께하세요

아래 그림 ①과 ②를 오리세요.
①의 칼집에 ②의 예수님 그림을 옆의 그림처럼 끼우세요.
항상 우리와 함께하시는 예수님에 대해 이야기해 보세요.

①

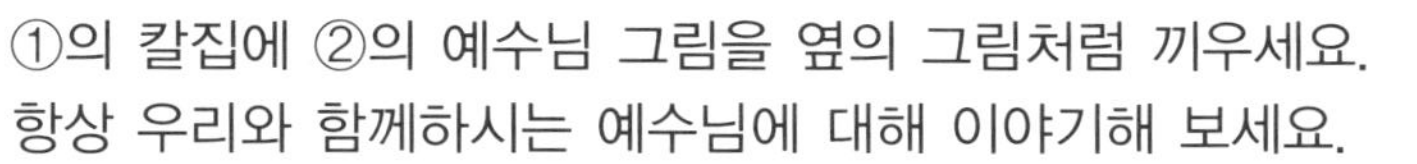

②

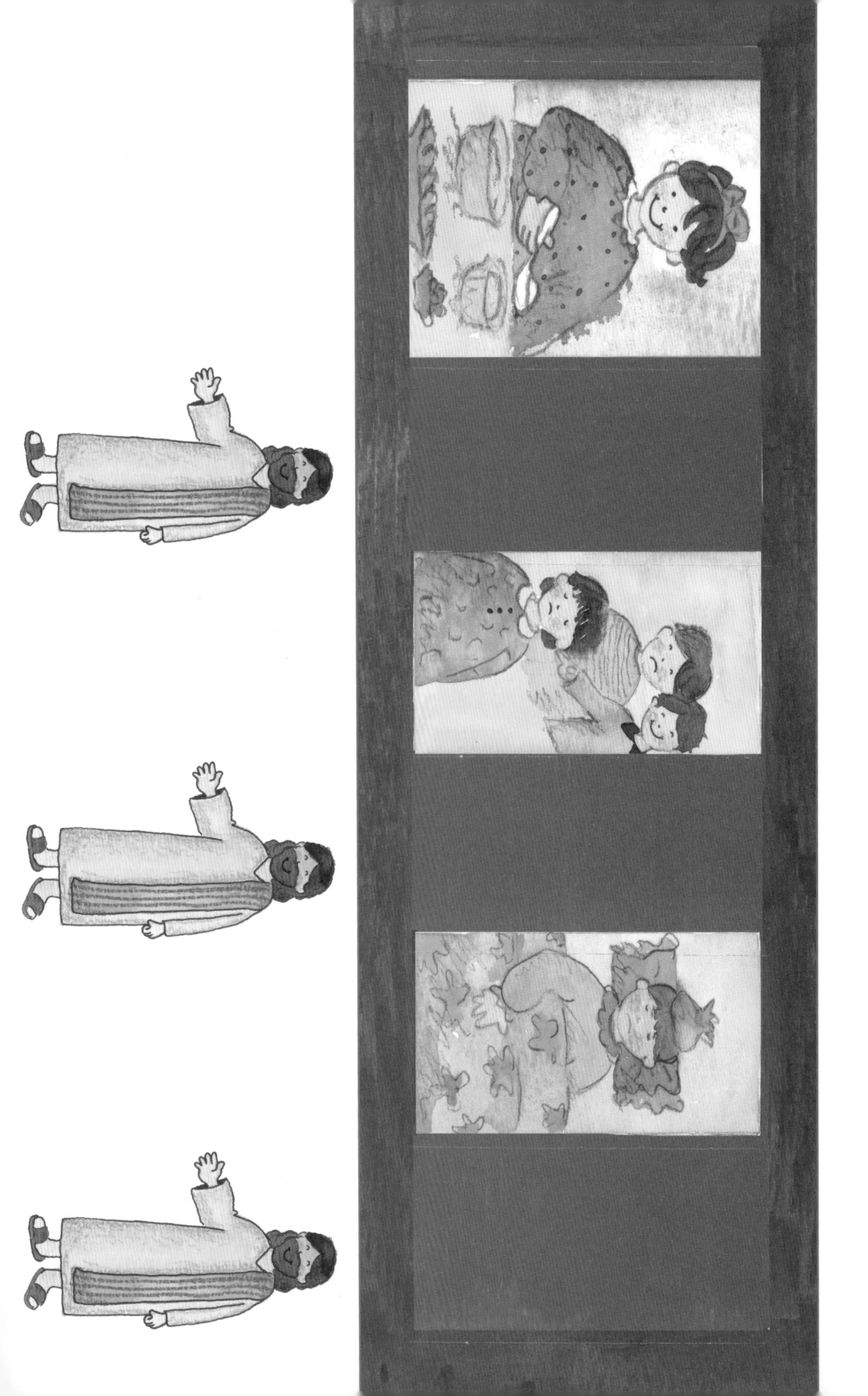

가족활동- 전화 예절과 전화 번호 외우기

전화를 사용할 때, 필요한 예절이 있어요.

• 받을 때는,

"여보세요.
잠깐만 기다리세요.
엄마 바꿔 드릴게요."

• 걸 때는,

"안녕하세요.
저는 ○○○인데요.
△△△있어요?
바꿔 주세요."

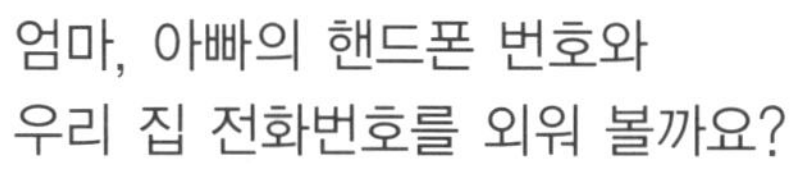

엄마, 아빠의 핸드폰 번호와
우리 집 전화번호를 외워 볼까요?

5. 잔치에 왔던 사람들은 예수님에 대해 알게 되었어요

요한복음 2장 1~11절

오늘은 아주 특별한 날이에요.
바로 결혼식이 있는 날이죠.
예수님과 제자들, 그리고 어머니 마리아도
결혼식에 초대받았어요.
많은 손님들이 와서
결혼하는 신랑신부를 축하해 주었어요.

그런데 큰일이 생겼어요.
손님들이 먹고 마시는 동안
미리 준비해 둔 포도주가
다 떨어지고 말았어요.

"포도주가 다 떨어졌다는데,
어떻게 하면 좋을까?"
마리아가 말했어요.
예수님은
"아직 하늘 아버지께서 제게 주신 능력을
보여 줄 때가 되지 않았습니다."
라고 말씀하셨어요.
하지만 마리아는 하인들에게
무엇이든지 예수님이 시키는 대로
하라고 부탁했어요.

예수님이 하인들에게 말씀하셨어요.
“항아리에 물을 가득 채우라.
그리고 그 물을 떠다 손님들에게 갖다 주거라."
하인들은 예수님이 말씀하신 그대로 했어요.

어떤 일이 일어났을까요?
아주 놀라운 일이 일어났어요.
항아리의 물이 포도주로 변했답니다!
아무것도 모르는 손님들은
그 포도주를 맛보고 모두들 감탄했어요.

예수님은 첫 기적을
이렇게 갈릴리 가나의 결혼 잔치를 위해서
베푸셨답니다.

예수님의 제자들도
예수님이 누구신지 알게 되었지요.
‘예수님은 하나님의 아들이구나!
예수님은 정말 하나님의 아들이야!'

부모님께 어린이들은 갈릴리 가나의 결혼 잔치에서 예수님이 행하신 첫 기적에 대해 배웠습니다. 예수님은 정말 하나님의 아들이라는 것을 알게 되었습니다. 자녀와 함께 눈에 드러나는 표적을 보지 않고도 예수님을 어떻게 믿을 수 있는지 이야기해 보세요.

생각해요
- 내가 하인이었다면 예수님이 시키는 대로 했을까요?
- 예수님은 이렇게 신기한 일을 어떻게 하실 수 있었을까요?
- 예수님은 누구실까요?

기도해요 예수님은 정말 멋져요. 예수님, 사랑해요.

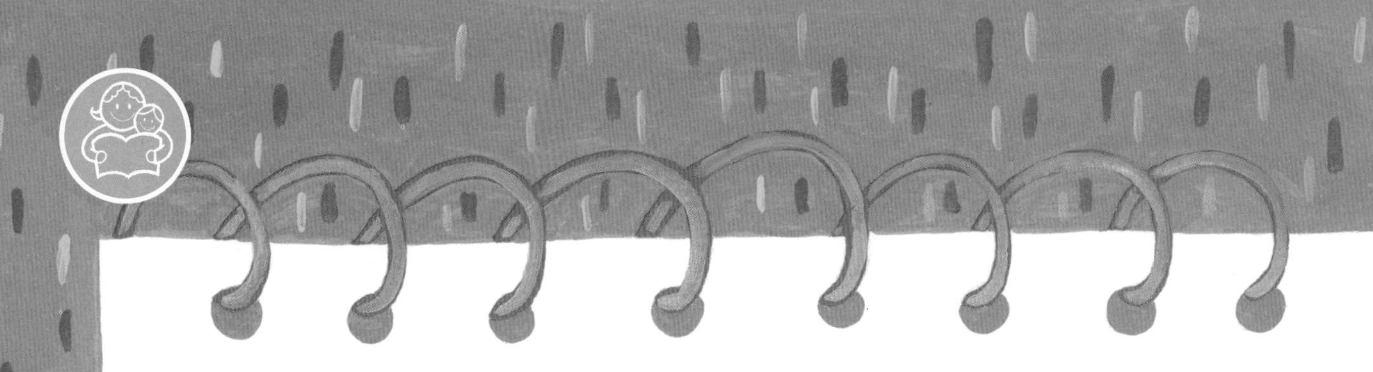

예수님의 기적은 마술과 다르답니다

짜~안!! 물을 포도주로 바꾸신 예수님은 마술사였을까요?

TV에서 보는 마술사들의 마술쇼는 정말 신기해요.
어른이나 어린이나 모두 환상적인 장면에 빠져들지요.

상상할 수도 없는 일들이 눈앞에서 펼쳐지지만
사실 그것은 환상적으로 보이게 하는 기술이지요.
각종 도구와 기술을 활용해 사람들이 꿈꾸던 장면을
보게 해주는 즐거운 눈속임이지요.

하지만 어린아이들은 하나님의 기적과 마술을
혼동할 수 있는 위험성이 있어요.

마술은 사람이 마음만 먹으면 할 수 있는 사람의 일이지요.
그러나 기적은 하나님의 일이랍니다.
하나님께서 기적이 꼭 필요하다고 여기시는 곳에
베풀어주시는 놀라운 일이랍니다.
눈속임이 아닌 진짜 놀라운 하나님의 능력이랍니다.

오락거리로 사용하는 마술 때문에
신기하고 놀라운 예수님의 능력과 사랑이
마술과 혼동되는 것은 피해야 하겠죠?

똑같은 그림을 찾아요

혼인 잔치 카드로 재밌는 놀이를 해 보세요.

〈놀이 규칙〉

1. 그림 카드를 모두 뒤집어 둡니다. 순서를 정하고, 정한 순서대로 두 장씩 카드를 뒤집습니다.
2. 뒤집었을 때 똑같은 그림이 나오면 그 그림의 내용을 이야기하고, 카드는 내가 갖습니다.
3. 뒤집었을 때 서로 다른 그림이 나오면 다시 덮어둡니다.
4. 그림 카드가 다 없어지면 게임은 끝나게 됩니다.

엄마와 함께 말씀을 읽고 외워 보세요

아래 말씀을 보지 않고도 외울 수 있게 되었나요? 그러면 빈칸을 채울 수 있겠지요?
가족들 앞에서 손가락을 이용해 말씀을 큰소리로 외워 보세요.

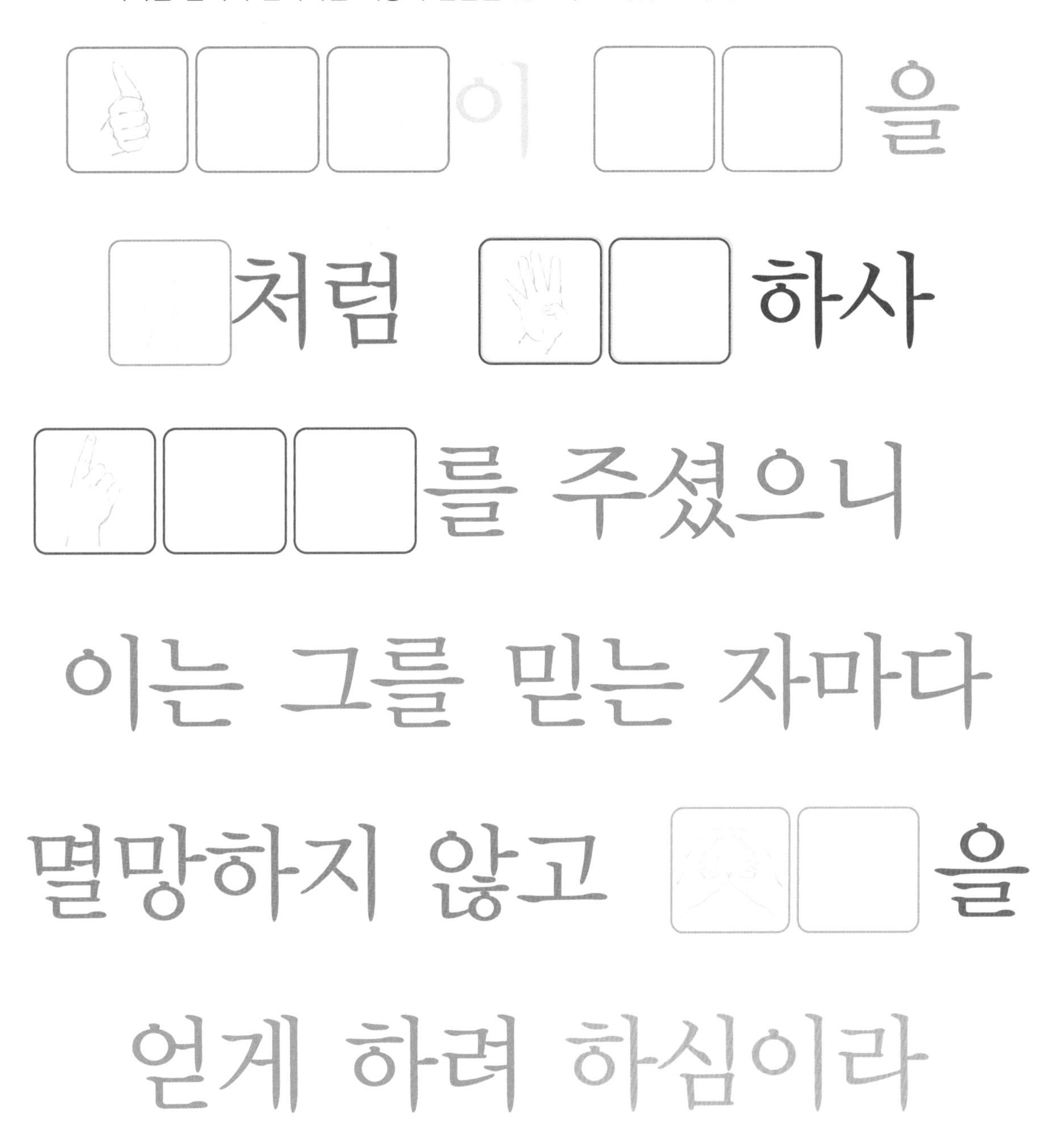

요한복음 3:16

어떤 그림일까?

109쪽에 있는 그림을 오려서 가운데를 할핀이나 이쑤시개로 고정하고 돌려 보세요. 그림이 완성될 거예요. 어떤 그림인가요?

가족활동- 우리의 마음을 변화시켜 주세요

내 마음 속에 변화되었으면 하고 바라는 것이 있다면, 어떤 것이 있는지
가족이 함께 이야기를 나누세요. 그리고 각자 한 가지씩을
포도주병 안에 흰 크레파스로 그려 보세요.
보라색 물감으로 포도주병을
가득 채워 색칠하세요.

물을 포도주로 바꾸신 예수님은
우리의 마음도 변화시킬 수 있으세요.
"예수님, 내 마음을 변화시켜 주세요."
하고 함께 기도해요.

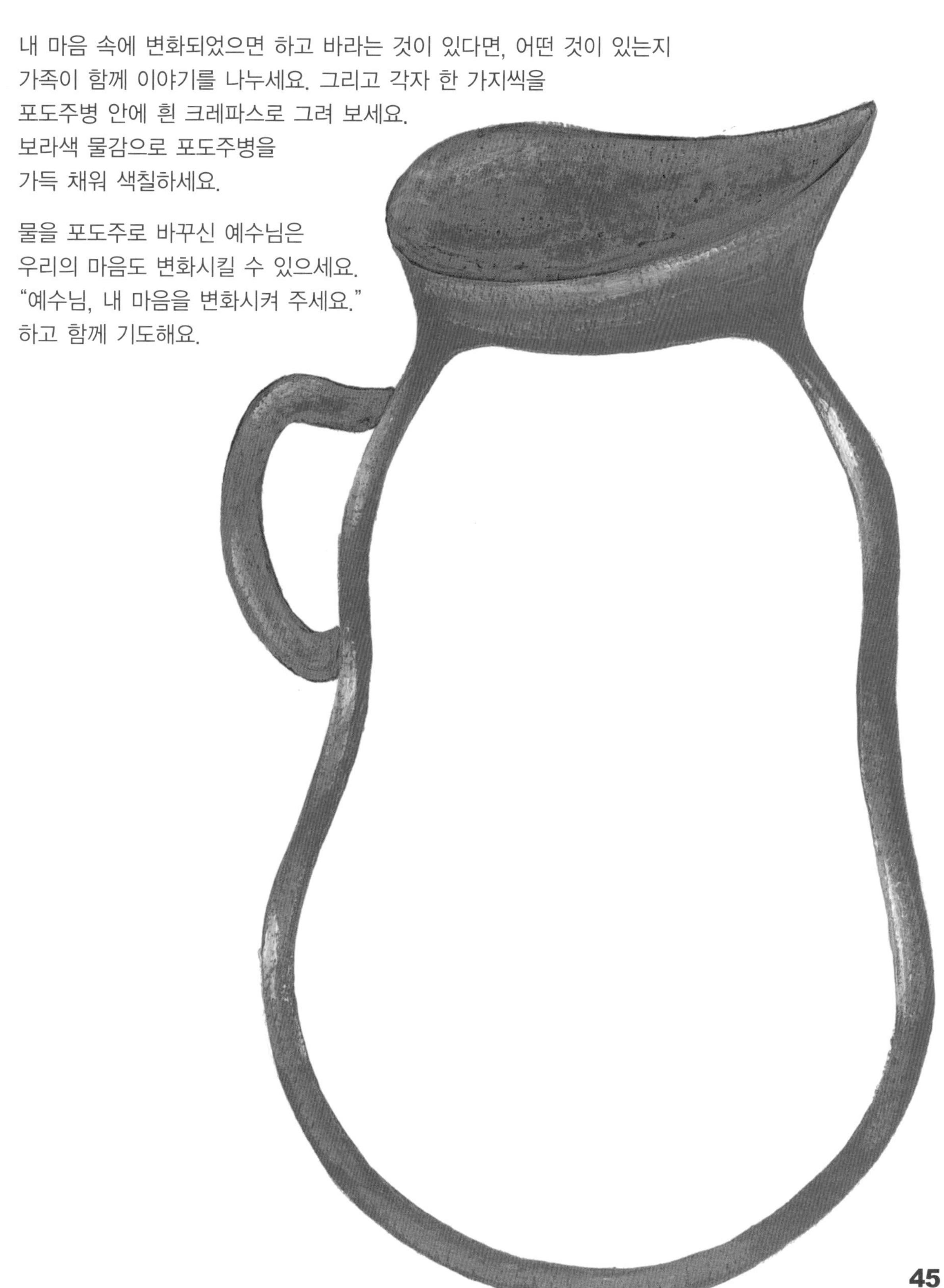

6. 아픈 친구가 예수님에 대해 알게 되었어요

누가복음 5장 17~26절

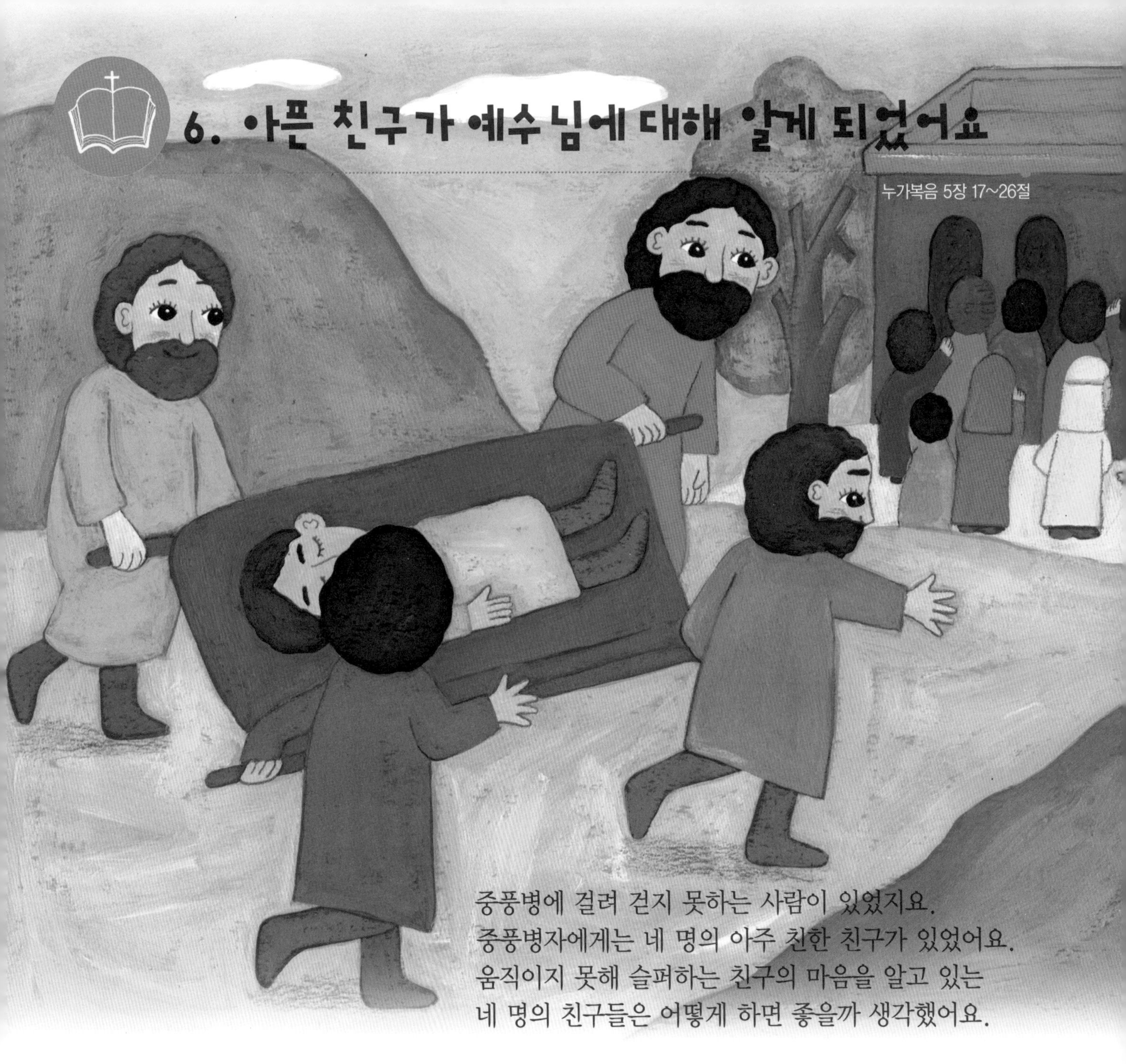

중풍병에 걸려 걷지 못하는 사람이 있었지요.
중풍병자에게는 네 명의 아주 친한 친구가 있었어요.
움직이지 못해 슬퍼하는 친구의 마음을 알고 있는
네 명의 친구들은 어떻게 하면 좋을까 생각했어요.

그때 예수님께서 이 마을에 찾아오셨다는 소리가 들렸어요.
친구들은 너무나 기뻐하며 중풍병자를 예수님께 데려가기로 했어요.
아픈 친구를 침대에 눕힌 후, 네 명의 친구들이 침대를 들고
예수님이 계신 집으로 찾아갔어요.
하지만 예수님이 계신 집은 사람들로 꽉 차 있어서
들어갈 수가 없었어요.

부모님께 자녀들은 중풍병자가 친구들의 도움으로 병이 나은 것을 봤습니다. 예수님은 죄를 용서하시고, 병도 낫게 해 주시는 분입니다. 예수님은 우리의 몸과 마음에 자유를 주시는 분이라는 것을 알려 주세요.

할 수 없이 친구들은
지붕 위로 올라가
큰 구멍을 뚫고
천천히 천천히
침대를 내렸어요.
많은 사람들이
깜짝 놀랐어요.
하지만 예수님은
친구들의 예쁜 마음과
커다란 믿음을 보시고
미소를 지으셨어요.
그리고 중풍병자에게
말씀하셨어요.
"당신은 이제 당신의 죄를
용서 받았으니
일어나서 침대를 들고
집으로 돌아가라."

예수님의 말씀을 들은 중풍병자는 벌떡 일어나 기뻐 뛰며 하나님을 찬양했어요.
중풍병자와 친구들, 그리고 많은 사람들은 알게 되었어요.
하나님의 권능이 예수님과 함께하신다는 것을요.
예수님은 놀라운 기적을 일으키시는 하나님의 아들이에요.

생각해요

- 걷지 못한다면 어떤 것들을 할 수 없을까요?
- 친구들이 예수님께 가자고 했을 때 걷지 못하는 사람은 뭐라고 말했을까요?
- 나에게도 예수님께 데려 가고 싶은 사람이 있나요?

기도해요 내 친구에게 예수님을 잘 알려 주고 싶어요.

나를 필요로 하는 친구

"사랑 안에서 가장 귀히 여기라."(데살로니가전서 5:13)

예꿈이는 교회에 가려고 집을 나서면서 불만스러운 듯이 아빠에게 물었어요.
"아빠, 왜 매주 진수를 교회에 데리고 가야 돼요? 난 진수가 싫단 말이에요. 얼마나 나를 못 살게 구는데요."
"진수는 교회에 가고 싶어하는데, 부모님이 예수님을 믿지 않으시니 우리가 함께 가주어야지 않겠니?"
아빠가 차에 시동을 걸었어요. 그런데 웬일인지 시동이 걸리지 않았어요.
"카센터에 전화해야겠다."
잠시 후 카센터 아저씨가 와서 자동차의 앞 뚜껑을 열었어요. 예꿈이네 차와 아저씨가 몰고 온 차를 전깃줄로 연결하고는, 다시 시동을 걸어보았어요.
그러자 드디어 부릉~ 시동이 걸렸어요.
"와! 신기하다! 어떻게 시동이 걸린 거죠? 아저씨 차에서 우리 차로 에너지가 건너왔나 봐."
"정말 신기하지? 예꿈아, 진수도 마찬가지야. 진수는 예수님을 믿은 지 얼마 되지 않아서 누구든 친구가 옆에서 예수님을 열심히 믿도록 도와주어야 한단다. 카센터 차가 아빠 차를 도와준 것처럼 말이야."
"어떻게 도와주면 돼죠?" 예꿈이가 물었어요.
"주일마다 교회에 함께 가고, 매일매일 예수님을 믿는 친구는 어떻게 사랑하며 사는지를 보여주면 돼."
아빠가 예꿈이에게 대답해 주셨어요.

부모님께

자녀에게 "만약 네가 예꿈이라면 어떻게 친구를 도와줄 수 있을까?"하고 물어봅니다. 어린이 스스로 생각하고 대답할 시간을 주세요. 아이의 생각을 격려해 주시고, 함께 이렇게 기도하자고 해 보세요. "내 친구들에게 예수님을 전하게 해 주세요."

친구야! 빨리 나았으면 좋겠어

내 주위에 몸이 아프거나 마음이 상해서 예수님의 사랑이 필요한 친구들이 있나요?
아픈 친구를 위해 기도하고 카드를 보내 보세요.

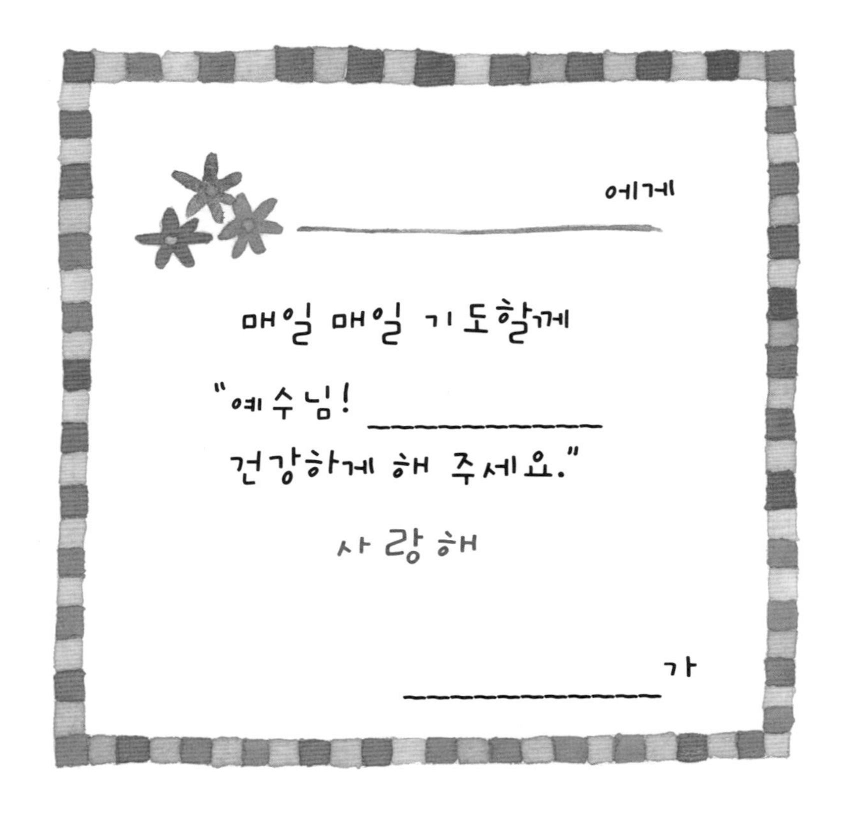
______에게
매일 매일 기도할께
"예수님! ______
건강하게 해 주세요."
사랑해
______가

엄마와 함께 말씀을 읽고 외워 보세요

아래 말씀을 보지 않고도 외울 수 있나요?
첫소리로 시작하는 낱말을 써 보세요.

하나님이 세상을 이처럼 사랑하사
독생자를 주셨으니 이는 그를 믿는 자마다
멸망하지 않고 영생을 얻게 하려 하심이라

요한복음 3:16

하

세

이

사

독

영

예수님! 도와주세요!

109쪽의 하트 모양을 오리고 접어서 예수님의 하트 위에 붙이세요.
예수님은 우리를 따뜻하게 안아주시는 분이랍니다.

가족활동- 예수님! 내 친구를 안아 주세요

예수님께 데려가고 싶은 내 친구가 있나요?
엄마, 아빠에게도 그런 친구가 있나요?
친구의 이름을 써 보세요. 가족이 함께 친구들을 위해 기도해요.

"예수님, 제 친구 김철수를 안아 주세요!"

"예수님, 제 친구 윤지를 안아 주세요!"

"예수님, 제 친구 이순희를 안아 주세요!"

"예수님, 우리 가족의 친구들을 안아 주세요!"

7. 어린 소녀가 예수님에 대해 알게 되었어요

마가복음 5장 21~24절, 35~43절

야이로 아저씨에게는
예쁜 딸이 있었어요.
그런데 아저씨의 딸은
많이 아파 침대에
누워있기만 했어요.

어느 날
야이로 아저씨는
예수님에 대한
소식을 듣게 되었어요.
'예수님이라면
내 딸을 낫게 하실 수
있을 거야.
빨리 예수님께
가 보자!'

부모님께 자녀들은 야이로의 딸이 다시 살아나게 된 놀라운 이야기를 배웠습니다. 예수님이 죽은 자를 모두 다시 살리시지는 않았습니다. 그러나 우리가 기억해야 할 것은 예수님이 행하신 모든 일은 우리를 사랑하기 때문이라는 것입니다. 자녀들에게 이 점을 잘 설명해 주세요.

야이로 아저씨는 예수님이 계신 언덕으로 빨리 달려갔어요.
언덕 위에는 많은 사람들이 모여 있었어요.
야이로 아저씨는 그곳에서 말씀을 가르치고
아픈 사람들을 고쳐 주시는 예수님을 보았지요.
야이로 아저씨는 예수님의 발 아래 엎드렸어요.
"예수님! 제 딸이 많이 아파요. 거의 죽게 되었습니다.
제발 저희 집에 오셔서 제 딸을 고쳐 주세요."

예수님은 야이로 아저씨의 집으로 함께 가 주셨어요.
그런데 야이로 아저씨의 집에 도착하기도 전에
아주 슬픈 소식을 듣게 되었어요.

예수님의 옷을 멋지게 색칠해 보세요.

"야이로, 당신의 딸이 죽었습니다."
"뭐라고요? 제 딸이 죽었다고요? 아이고! 예수님, 어떡해요?"
야이로 아저씨는 너무너무 슬퍼했어요.
"야이로야, 두려워하지 마라. 나를 믿어라."
예수님이 말씀하셨어요.

예수님이 집에 도착했을 때 많은 사람들이 슬퍼하며 울고 있었어요.
예수님은 어린 소녀가 누워 있는 방으로 들어가셨어요.

"소녀야, 일어나라! 달리다 굼!"

예수님이 소녀의 손을 잡고 일으키며 말씀하셨어요.
그러자 갑자기 소녀가 눈을 떴어요. 그리고 벌떡 일어났어요. 다시 살아난 거예요.

야이로 아저씨는 얼마나 기뻤을까요? 또 그곳에 모인 사람들은 얼마나 놀랐을까요?
예수님이 야이로 아저씨의 죽은 딸을 다시 살리셨어요.
예수님은 정말 하나님의 아들이에요.

생각해요
- 야이로 아저씨는 왜 예수님을 찾아갔나요?
- 내가 아플 때 나를 위해 기도하는 사람은 누구인가요?

기도해요 내가 건강하고 튼튼하게 자라도록 지켜 주세요.

아픈 사람을 위해 기도해요

기도가 필요한 아픈 사람이 있나요? 아픈 사람을 위해 기도해요.
113쪽에 있는 과일 스티커에 이름을 적어서 기도나무 위에 붙이고 매일 매일 기도해요.

은혜의 선물, 혜원이

믿음의 간증 : 혜원이 엄마

둘째 혜원이를 임신하고 기뻐하기도 전에 의사 선생님으로부터 걱정의 소리를 들어야 했습니다. 태아의 상태를 보니 분명 장애가 있는 아이일 것이라고 하더군요.
혹시나 하는 마음에 찾은 다른 병원 의사 선생님들도 모두 같은 이야기를 했어요.
무척 걱정이 되었지만, 하나님을 의지하며 교회 성도들과 함께 기도하기 시작했어요.
"그래, 믿음을 갖자."

혜원이가 태어나던 날,
"아아, 아이가 이상해!"
1.79kg, 미숙아로 태어난 혜원이는 호흡곤란으로 급히 신생아 중환자실로 옮겨졌어요.
호흡기와 순환기에 이상이 있어 폐 수술과 심장 수술을 받았는데,
연이어 위 수술까지 받아야만 했어요. 마음이 많이 아팠어요.
태어난 지 두 달 만에 신생아 중환자실을 나설 때 혜원이의 체중은 겨우 2.11kg.

그 동안 교회 목사님과 성도들은 쉬지 않고 기도해 주셨어요.
혜원이는 퇴원 후에도 선천성고관절탈골이란 증세를 보였지만, 기도로써 잘 이겨낸 것 같아요. 제가 속한 공동체에서 살아서 퇴원한 혜원이를 위해 백일 축하 기도회를 열어 주었어요. 많은 분들의 기도와 격려로, 하나님 아버지의 역사를 기대하는 은혜로운 시간이 되었어요.

이제 혜원이는 태어났을 때와는 다르게 정상적인 아이로 잘 자라고 있어요.
할렐루야! 탈골 되었던 고관절도 제자리에 잘 붙어서 정상 판정을 받았답니다.
체구는 작지만 똘똘하게 잘 자라주어서 너무 감사해요.
혜원이를 지켜주신 예수님과 기도해 주신 성도들에게 깊이 감사드립니다.

엄마와 함께 말씀을 읽고 외워 보세요

아래 카드에 요한 복음 3장 16절 말씀을 쓰고 〈말씀 카드〉를 만들어 보세요.
잘 보이는 곳에 붙여 가족과 함께 외워 보세요.

하나님이 세상을 이처럼 사랑하사
독생자를 주셨으니 이는 그를 믿는 자마다
멸망하지 않고 영생을 얻게 하려 하심이라

요한복음 3장16절

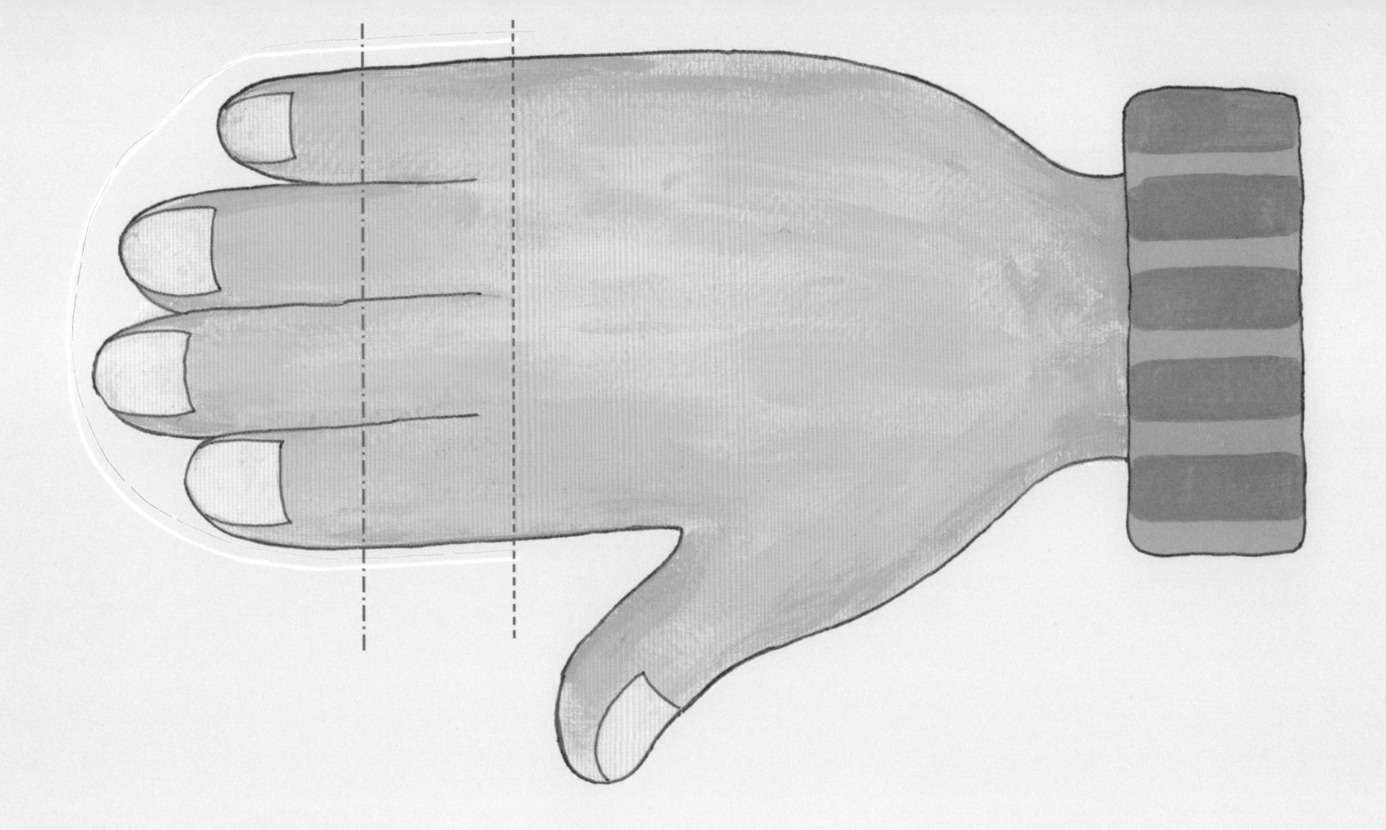

예수님! 제 손을 잡아 주세요

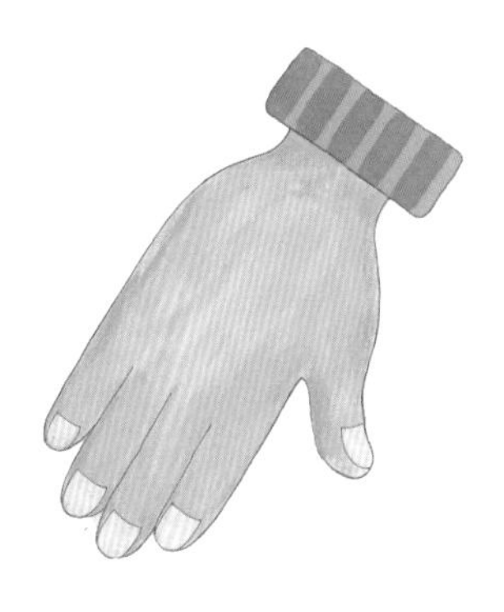

예수님은 우리가 기쁠 때나 슬플 때나
즐거울 때나 아플 때나 언제든지 우리를 붙잡고 계세요.
60쪽의 손그림의 굵은 선을 따라 칼집을 넣고
점선대로 접은 후, 예수님의 손을 잡아 보세요.

가족활동- 이와 잇몸 관리

자녀의 입을 크게 벌리고 입안 구석구석을 살펴 보세요.
자녀가 말하지 않아서 충치치료가 늦어질 수도 있답니다.
유치가 빠지고 영구치가 나기 시작하면서부터는 정기적인 치과 검진이 필요합니다.
어릴 때부터 이와 잇몸의 건강을 위해 관리해 주세요.

8. 마리아와 마르다가 예수님에 대해 알게 되었어요

누가복음 10장 38~42절

113쪽의 스티커를 붙이며 읽어보세요.

여기 두 자매가 있어요. 

는 동생, 

는 언니예요. 

와 

는 

의 좋은 친구예요. 어느 날, 

이 두 자매의 집에 오시게 되었어요. 많은 사람들이 마리아 

와 함께 

의 방문을 기뻐했어요. "

이 오셨는데 무엇을 드릴까? 맛있는 

을 드려야지. 참! 깨끗하게 청소도 해야지." 

는 

을 맞이하려고 바쁘게 준비했어요. 

는 

의 말씀을 듣기 위해 

옆에 앉아 있었어요. 

는 

을 준비하느라 너무나 바빴어요. 그래서 

곁에 앉아 

을 듣고 있는 

를 보고 화가 많이 났어요.

"

, 전 너무 바쁜데 

는 

말씀 만 듣고 있잖아요! 

가 저를 돕도록 해 주세요." 그러자 

은 말씀하셨어요. "

야, 네가 참 바쁘구나. 하지만 무엇보다 중요한 것은 나의 말을 듣는 것이란다. 

는 자기가 생각하는 가장 중요한 일을 택한 거야. 그러니 

가 내 옆에서 말씀 을 들을 수 있도록 그대로 두어라." 

와 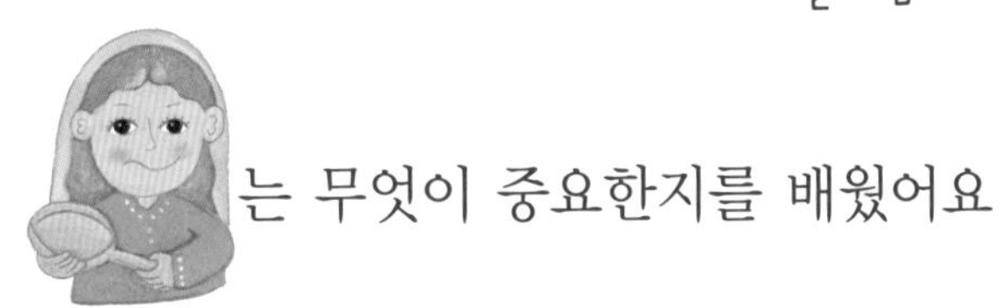

는 무엇이 중요한지를 배웠어요. 

가 하는 일도 소중하고 중요한 일이지만 우리가 해야 할 가장 중요한 일은 

의 말씀 을 듣는 일이에요. 

은 우리가 

의 말씀 에 귀 기울이기를 원하셔요.

부모님께

자녀들은 마리아와 마르다의 이야기를 통해 예수님의 말씀을 듣는 것이 우리가 할 수 있는 가장 중요한 것이라는 내용을 배웠어요. 우리 아이가 평소에 가장 열심히 하는 것은 무엇인가요? 부모님이 먼저 자녀의 이야기에 귀 기울여 주시고, 우선순위에 대해 이야기해 주세요.

생각해요

- 마르다가 한 일도 중요한 일이에요. 그렇다면 마르다의 잘못은 무엇이었을까요?
- 예수님이 가장 중요하게 생각하시는 것은 무엇일까요?

기도해요 예수님의 말씀을 사랑하는 아이가 되게 해 주세요.

엄마와 함께 말씀을 읽고 외워 보세요

113쪽에 같은 모양의 스티커가 두 개씩 있어요. 알맞은 글자를 찾아 빈칸에 붙여보세요.
부모님을 따라 한마디씩 읽어 보세요.

[ ] 는

나의 [ ] 시니

내게 이

없으리로다

시편 23:1

마리아와 마르다의 집

마리아, 마르다, 나사로 남매는
예수님을 집에 초대했어요.
그림을 오려 낸 후 집을 만들어 보세요.

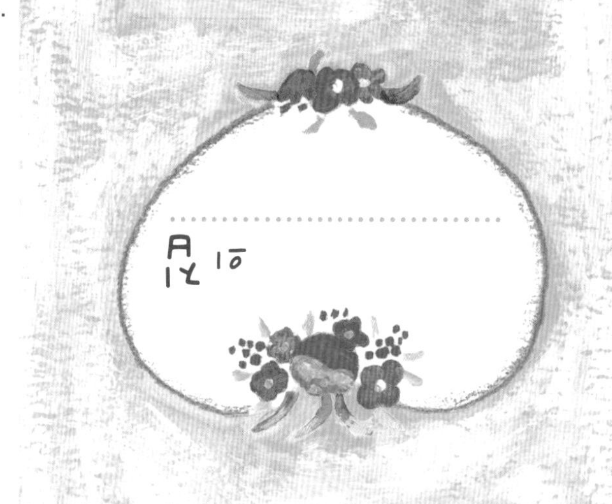

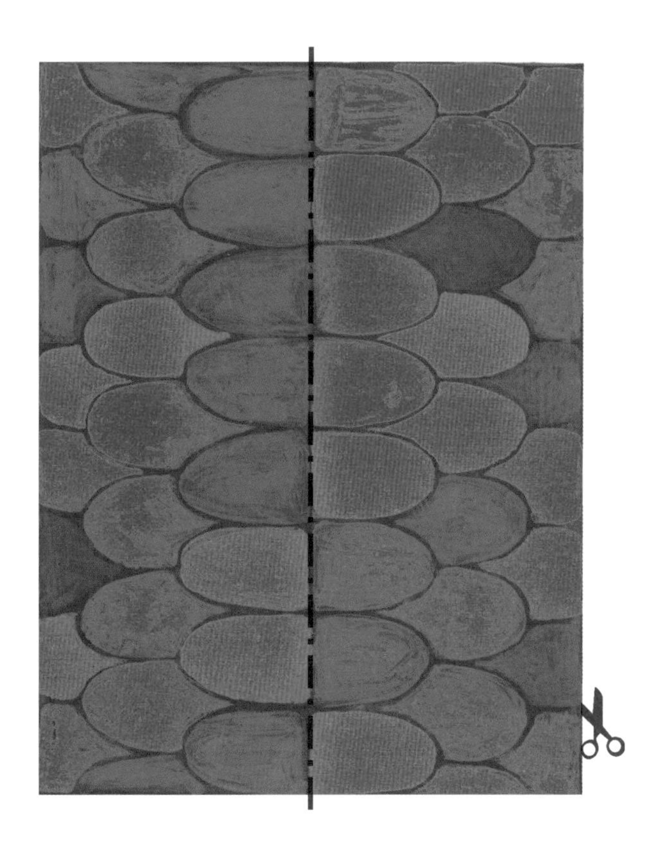

마음의 귀

"너희는 여호와의 말씀을 들을찌어다."(미가 6:1)

아빠와 낚시를 간 예꿈이는 자리를 잡고 낚싯줄을 내렸어요.
한참을 기다렸지만 고기는 낚이지 않았어요.

"아빠, 왜 고기가 안 잡히죠?"
예꿈이가 물었어요.
"우리가 말하는 것을 듣고 고기들이 다 달아났나 보다. 장소를 옮겨 볼까?"
새로 옮긴 곳에서 예꿈이는 물고기 한 마리를 낚아 올렸어요.

물고기를 들여다보던 예꿈이는 아빠에게 말했어요.
"아빠, 물고기는 귀가 없는데 어떻게 우리 소리를 듣고 도망가요?"
"물고기는 우리처럼 귀가 몸 밖에 나와 있지 않고 몸 안에 있단다.
우리 눈으로 볼 수 없는 것 뿐이야."
아빠가 설명해 주셨어요.
"그래요? 진짜 신기하다."
예꿈이는 눈을 동그랗게 뜨고 물고기를 다시 보았어요.

"사람들도 소리를 귀로 듣지만 진짜 중요한 것은 마음으로 듣는단다."
"마음으로 어떻게 들어요?"
예꿈이가 물었어요.
"속으로 딴 생각하지 않고 마음을 집중하는 거야.
특히 설교나 말씀은 귀로만 듣고, 마음으로 들어 느끼지 않으면 아무런 소용이 없단다."
"아빠, 알았어요. 이제부터는 예배를 드릴 때 집중해서 마음으로 듣도록 노력할래요."

예수님! 우리 집에 오세요

나를 사랑하는 예수님이 우리 집에 오신대요. 길을 알려 주세요.

〈놀이 방법〉

1. 우리 집을 마음 속에 정해요.
2. 마음 속에 정한 집을 찾도록 길을 알려주세요.
   예) 위쪽으로 두 칸, 앞으로 두 칸, 아래쪽으로 한 칸 가세요. 곧바로 가면 바로 우리집이에요.
3. 예수님이 집에 도착하면 '어서 오세요.'라고 인사해요.

가족활동- 장난감 치우기

자녀와 집에서 장난감으로 함께 놀아 보세요. 자녀가 가장 좋아하는 장난감이 무엇인지, 어떤 놀이를 가장 좋아하는지 알게 될 것입니다. 놀고 난 후에는 장난감을 정리하도록 격려해 주세요. 부모님과 함께 치우면서 장난감 정리하는 습관을 자연스럽게 익힐 수 있어요.

9. 나사로는 예수님에 대해 알게 되었어요

요한복음 11장 1~44절

부모님께 자녀들은 예수님이 슬픔에 빠져 있는 마리아와 마르다를 위로하시고 죽은 나사로를 살려 주신 것에 대해 배웠습니다. 우리가 슬픔을 느낄 때 예수님도 슬퍼하신다는 것을 알려 주세요. 또 예수님은 우리에게 생명과 기쁨과 평화를 주신다는 것도 말해 주세요.

마르다와 마리아, 그리고 나사로는 가족이에요.
마르다와 마리아는 너무 슬펐어요.
왜냐하면 사랑하는 나사로 오빠가
병에 걸려 죽었기 때문이에요.

"예수님이 빨리 와 주셨다면 나을 수도 있었을 텐데.
이젠 너무 늦어버렸어. 흐흐흑……."

친구들도 와서 함께 울며
나사로를 장사 지내는 일을 도와주었어요.
마르다와 마리아는 너무나 슬퍼서 자꾸만 눈물을 흘렸어요.

며칠이 지난 후 예수님이 오셨어요.
예수님도 나사로를 너무나 많이 사랑하셨지요.
또 마르다와 마리아의 슬픔을 안타까워하셨어요.
예수님도 눈물을 흘리며 슬퍼하셨어요.

예수님은 마르다, 마리아, 그리고 제자들과 함께 나사로의 무덤으로 가셨어요.
많은 사람들도 예수님을 따랐어요.
예수님은 나사로의 무덤 앞에서 눈물을 흘리셨어요.
그리고 하늘을 우러러 기도하셨어요.

그리고 놀라운 말씀을 하셨어요.

"나사로야, 나오너라!"

그러자 죽은 나사로가 무덤에서 걸어 나오는 것이 아니겠어요!

"우와! 죽은 나사로가 다시 살아났어! 살아났어!"
그곳에 있던 사람들은 예수님이 하나님의 아들이라는 것을 믿게 되었어요.
슬픔을 기쁨으로 바꾸신 예수님, 정말 감사해요.
죽은 자를 살리시는 하나님의 아들 예수님을 찬양합니다.

생각해요
- 내가 슬플 때 제일 먼저 생각나는 것이 무엇인가요?
- 예수님은 어떨 때 슬퍼하실까요?

기도해요 내 마음이 슬플 때 위로해 주셔서 감사해요.

'위로하는 말' 을 배워요

어떤 말을 들을 때 가장 위로가 될까요?
사랑의 말로 위로하는 사람이 되세요.

아프겠다.
내가 도와줄게.

조금만 더 해 봐.
맞출 수 있을거야.

괜찮아!
누구나
실수할 수 있어.

많이 아프지?
빨리 나을 수 있도록
기도할게.

너무 속상해 하지마!
내가 좋은 친구가
되어줄게.

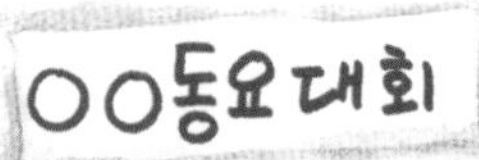

힘내!
내가 열심히
응원할게.

엄마와 함께 말씀을 읽고 외워 보세요

흐린 글씨를 따라 천천히 쓰고 말씀이 완성되면
부모님과 함께 한마디씩 주고 받으며 읽고 외워 보세요.

는

나의 시니

내게 이

없으리로다

시편 23:1

그래(yes), 안 돼(no), 기다려(wait)!

"구하라 그러면 너희에게 주실 것이다."(누가복음 11 : 9-13)

하나님께 기도하면 어떻게 응답해 주실까요?
하나님께서 주시는 응답은 그래(YES), 안 돼(NO), 그리고 기다려(WAIT)예요.

만약 하나님께 '칼을 주세요.' 라고 기도한다면 하나님께서는 분명 '안 돼!(NO)' 라고 대답하실 거예요. 왜냐하면 아직 칼을 쓸 줄 모르는 여러분에게 칼을 주었다가는 그만 손을 베거나 다른 사람에게 상처를 줄 수도 있기 때문이에요.

만약 하나님께 '차를 가지고 싶어요.' 라고 기도한다면 하나님께서는 '기다려라!(WAIT)' 하고 대답하실 겁니다. 왜냐하면 아직 어린이들은 운전할 수 있는 면허증을 얻고, 차를 운전하기까지는 어른이 될 때까지 기다려야하기 때문이지요.

만약 하나님께 '제게 운동하는 데에 필요한 운동화를 주세요!' 혹은 '공부하는 데 필요한 책을 주세요!' 라고 기도한다면 하나님께서는 '그래!(YES)' 라고 대답하실 거예요. 왜냐하면 그것이 우리에게 꼭 필요하다는 사실을 하나님께서는 잘 알고 계시기 때문이지요.

하나님의 꿈을 이루기 위해 꼭 필요한 것이 있나요?
바로 지금 기도를 시작하세요.
놀라운 일이 벌어질 거예요.

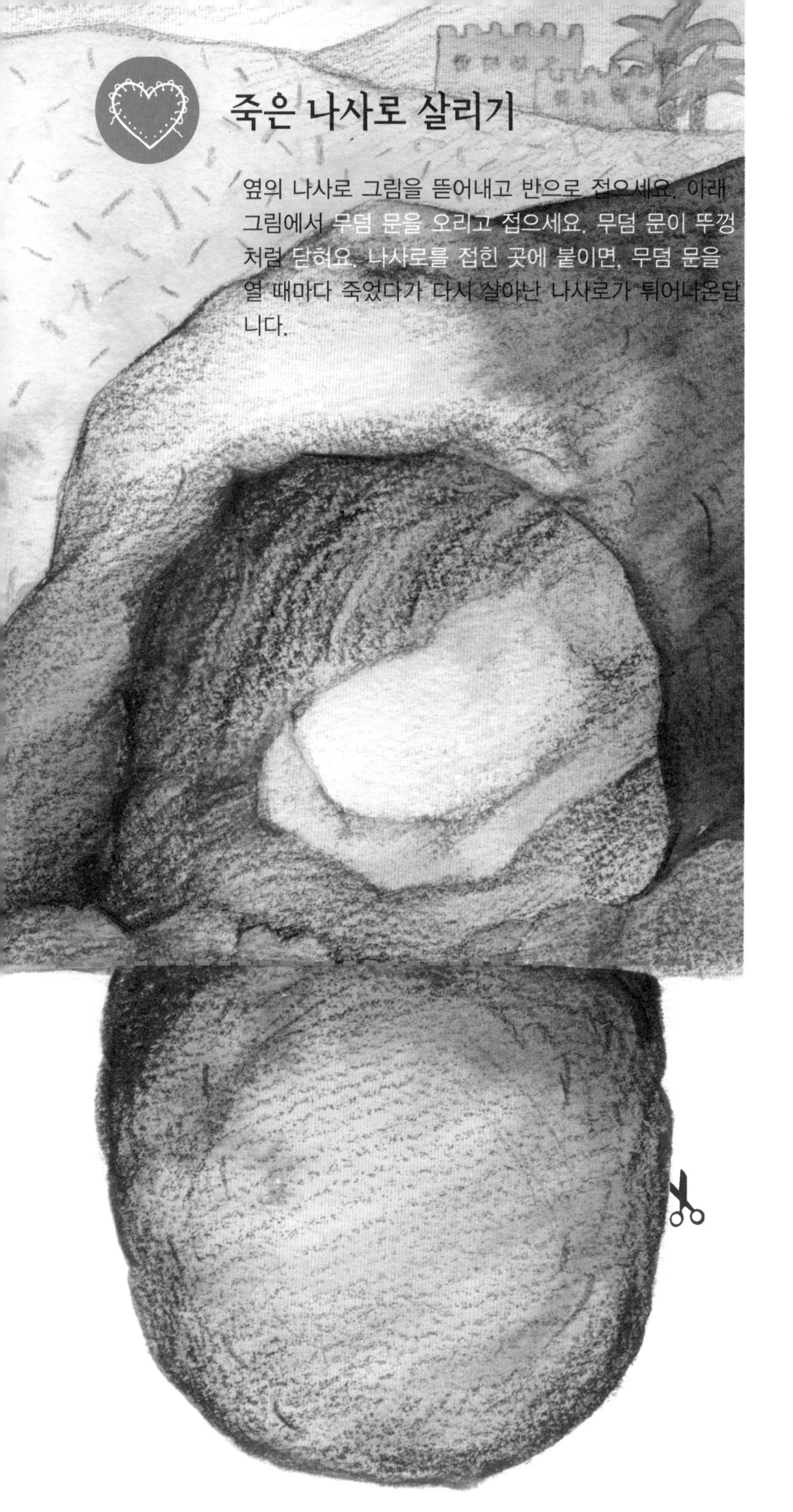

죽은 나사로 살리기

옆의 나사로 그림을 뜯어내고 반으로 접으세요. 아래 그림에서 무덤 문을 오리고 접으세요. 무덤 문이 뚜껑처럼 닫혀요. 나사로를 접힌 곳에 붙이면, 무덤 문을 열 때마다 죽었다가 다시 살아난 나사로가 튀어나온답니다.

가족활동- 손 잘 씻기

밖에 나갔다 온 뒤에는 꼭 비누로 거품을 내서
흐르는 물에 2분 이상 손을 씻으세요.
하루에 8번 정도 손을 씻으면 감기에 잘 걸리지
않는답니다.

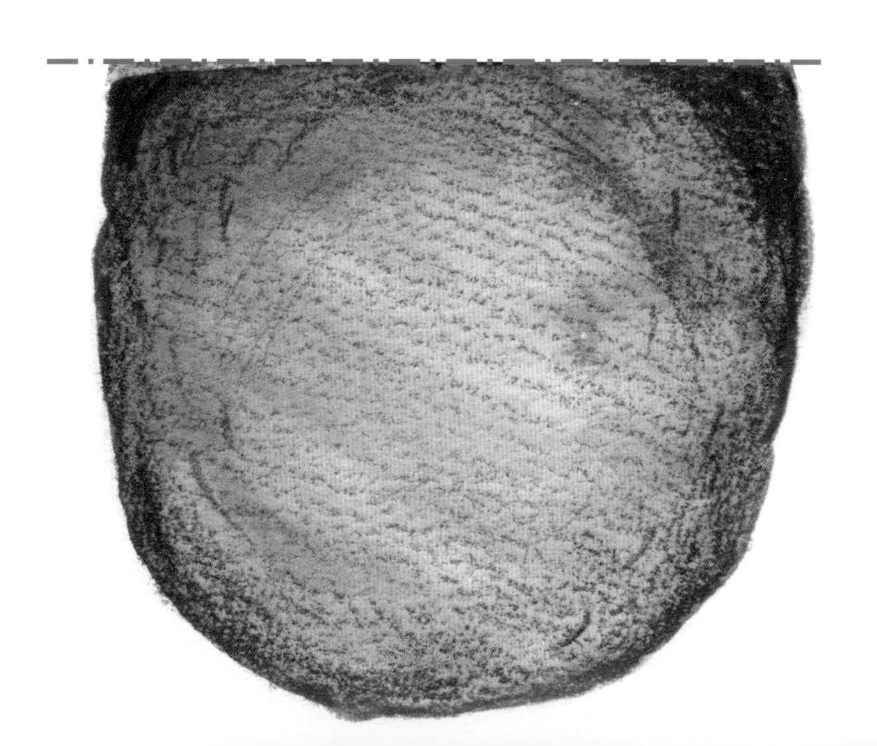

10. 삭개오가 예수님에 대해 알게 되었어요

누가복음 19장 1~10절

삭개오라는 아주 키가 작은 사람이 있었어요. 삭개오는 사람들에게서 세금을 걷는 세리예요. 돈은 아주 많았지만 욕심쟁이인 삭개오에게는 친구가 없었어요. 그래서 행복하지 않았지요.

어느 날, 삭개오는 놀라운 소식을 들었어요.
예수님이 삭개오가 사는 마을에 오신다는 거예요.
'나도 예수님을 꼭 만나고 싶어!'

자녀들은 삭개오가 예수님을 만난 후 자신의 옛 모습을 버리고 새 사람이 된 것에 대해 배웠어요. 부모님도 예수님을 만난 후 자신이 어떻게 변화되었는지 자녀들에게 이야기해 주세요. 그리고 자녀들에게도 변화된 모습이 있다면 칭찬해 주세요.

하지만 많은 사람들 때문에, 키 작은 삭개오는 예수님을 볼 수가 없었어요.
까치발을 들어도, 깡충깡충 뛰어 봐도 예수님이 보이지 않았어요.
'옳지! 저 키 큰 뽕나무 위로 올라가야지. 그럼 예수님이 보일 거야.'
삭개오는 열심히 뽕나무 위로 올라갔어요.
"영차영차, 이제 다 올라왔다. 와! 보인다, 보여!"

그때 예수님이 걸음을 멈추고
뽕나무 위에 앉은 키 작은 삭개오를 보고 부드럽게 말씀했어요.

"삭개오야, 빨리 내려오너라.
내가 오늘 너의 집에 가고 싶구나."
삭개오는 너무나 기뻐서 단숨에 나무에서 내려왔어요.

삭개오는 정성스럽게 예수님을 대접했어요. 그리고 예수님께 말씀드렸어요.
"예수님, 전 욕심쟁이 세리였어요. 사람들은 나를 좋아하지 않아요.
하지만 이제부터는 제가 가진 것들을 가난한 이웃에게 나눠 주며 살겠어요."
삭개오는 정말 행복했어요. 예수님을 만난 삭개오는 정말 다른 사람이 되었어요.
예수님이 삭개오에게 특별한 구원을 주셨어요. 삭개오는 얼마나 행복했을까요?

누구든지 예수님을 만나서 자기의 잘못을 회개하고 예수님의 말씀대로 살기로 결심한다면
삭개오처럼 착하고 신실한 예수님의 제자가 될 수 있답니다.

생각해요 • 내가 욕심을 부릴 때도 예수님은 나를 사랑하실까요?

기도해요 욕심 부리지 않게 도와주세요.

삭개오의 집으로

〈게임 방법〉

1. 111쪽의 키 작은 삭개오 그림으로 게임 말을 만들어요.
2. 동전의 앞뒤에는 113쪽의 숫자 스티커를 붙여요.
3. 가위 바위 보로 순서를 정해요.
4. 동전을 던져서 나온 수만큼 움직여요. 이때 게임판의 명령대로 앞이나 뒤로 움직여요.
5. 자, 누가 삭개오의 집에 먼저 도착할까요?

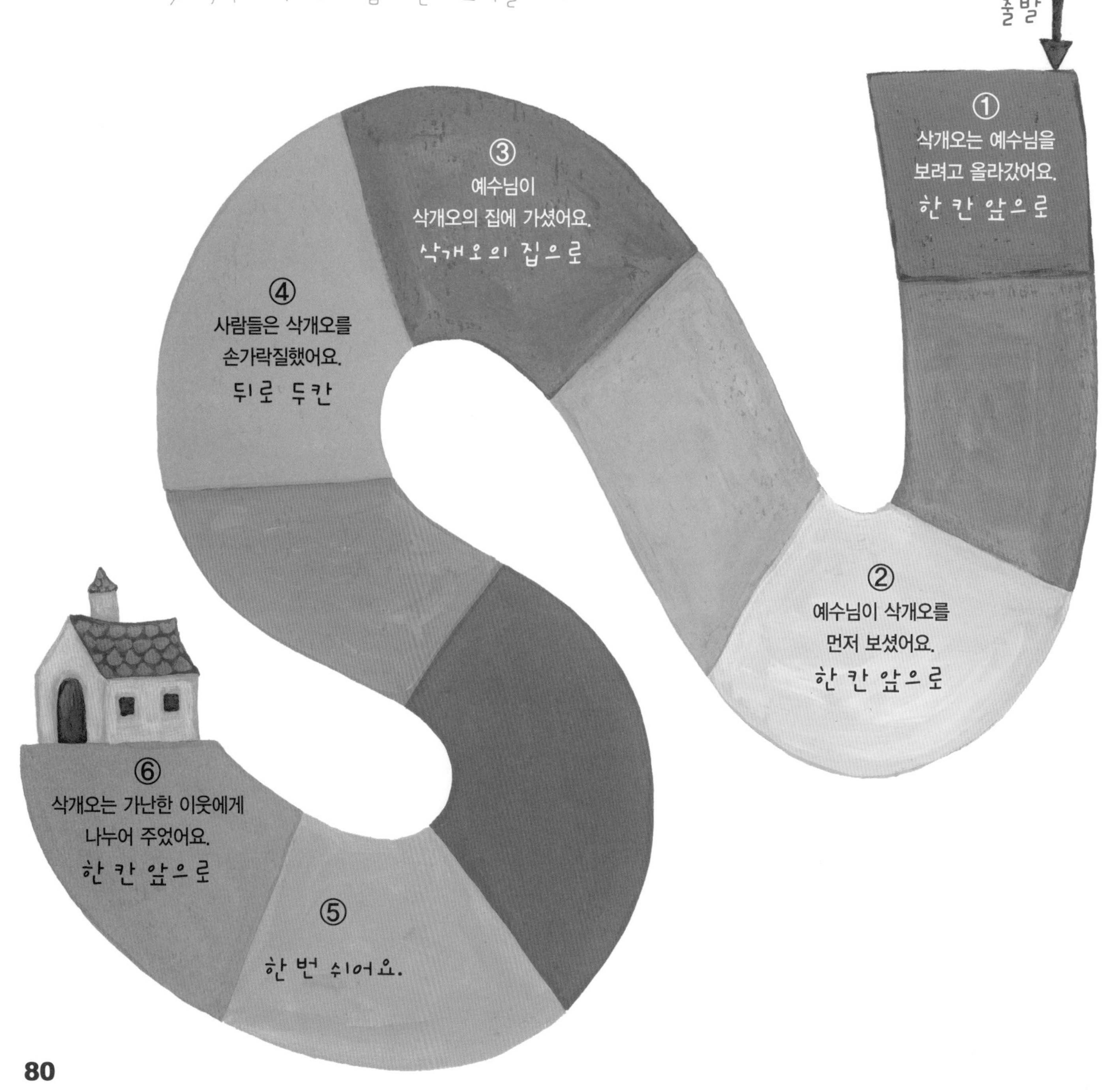

엄마와 함께 말씀을 읽고 외워 보세요

아래 말씀을 보지 않고도 외울 수 있게 되었나요?
부모님과 함께 국어사전이나 인터넷을 이용해서 아래 낱말의 뜻을 찾아보세요.
모르는 글자의 뜻을 알 수 있는 기회가 될 거예요.

여호와는 나의 목자시니
내게 부족함이 없으리로다
시편 23:1

여호와:

목자:

부족함:

예수님은 용서해 주세요

"우리 죄를 자백하면 … 우리 죄를 용서하시고 … 깨끗하게 해 주실 것입니다."(요한일서 1:9)

예꿈이는 민지네 집에서 소꿉놀이를 하다가 예쁜 장난감 찻잔을 하나 몰래 집으로 가져왔어요.
그날 밤 자려고 눈을 감았는데 예수님이 예꿈이의 마음을 보고 계신 것 같아서 무서웠어요.
"엄마-! 엄마-!" 예꿈이가 큰소리로 엄마를 불렀어요.
"무슨 일이니? 예꿈아, 무서운 꿈을 꿨니?"
"엄마, 예수님이 내 옆에 계시는 것 같아요."
"예수님은 언제나 예꿈이 옆에 계시지."
"엄마, 무서워요."
"예수님은 예꿈이를 사랑하시는데 왜 무서워?"
"엄마, 사실은 민지네 집에서 장난감 찻잔 하나를 물어보지도 않고 가져왔어요. 잘못했어요."
예꿈이는 슬픈 얼굴로 말했어요.
그러자 엄마는 예꿈이를 안아주시며 말씀하셨어요.
"그래서 우리 예꿈이가 무서웠구나. 우리 마음에 죄가 있을 때에는 예수님이 무서워지는 거야.
하지만 우리가 우리 죄를 고백하고 '용서해 주세요'라고 말하면 예수님은 용서해 주신단다.
예수님은 우리를 사랑하시니까."
"엄마, 나 예수님께 잘못했다고, 용서해 달라고 기도할래요.
그리고 내일 민지한테 찻잔을 돌려줄게요."
예꿈이는 기도를 한 후에 평안한 마음으로 잠이 들었어요.

부모님께

어린이들도 잘못에 대한 죄의식을 느낍니다. 잘못을 저질렀을 때 예수님께 죄를 고백하고 "용서해 주세요"라고 말하는 것이 중요하다는 것을 가르쳐 주세요. 예수님은 죄와 상관없이 변함없이 영원히 사랑하신다는 것도 이야기해 주세요.

나무 위의 삭개오

부록의 그림을 펼치세요.
나무 위의 칼집에 111쪽의 삭개오 그림을 끼워 주세요.
옆의 그림처럼 삭개오가 나무 위로 높이 올라가도록 도와주세요.
이제 키 작은 삭개오도 예수님을 볼 수 있을까요?

가족활동- 자전거 타기

가족과 함께 자전거를 타 보세요. 헬멧과 안전 도구들을 착용해요.
위험한 곳을 피하고 안전한 탈 곳이 어디인지 미리 장소를 살펴요.
자전거를 탈 때 칭찬과 격려를 받으면 더욱 힘이 나요.

11. 예수님께서 들려주셨어요: 돌아온 아들 이야기

누가복음 15장 11~32절

생각해요

- 작은 아들이 재산을 가지고 집을 떠났을 때 아버지 마음은 어땠을까요?
- 멀리 떠났을 때 우리 집이 생각난다면 어떤 느낌일까요?

기도해요 하나님 아버지의 사랑을 잊지 않게 해 주세요.

부모님께 자녀들은 재산을 가지고 떠난 방탕한 아들을 눈물로 맞아 준 아버지의 사랑을 배웠습니다. 하나님은 이야기에 나온 아버지보다 더 크고 깊은 사랑으로 우리를 맞아 주세요. 하나님의 큰 사랑에 대해 이야기 나누세요.

우리 집을 찾을 땐 ○○옆, ○○뒤를 보세요

115쪽에 있는 스티커를 붙여서 우리 집을 표시해 보세요.

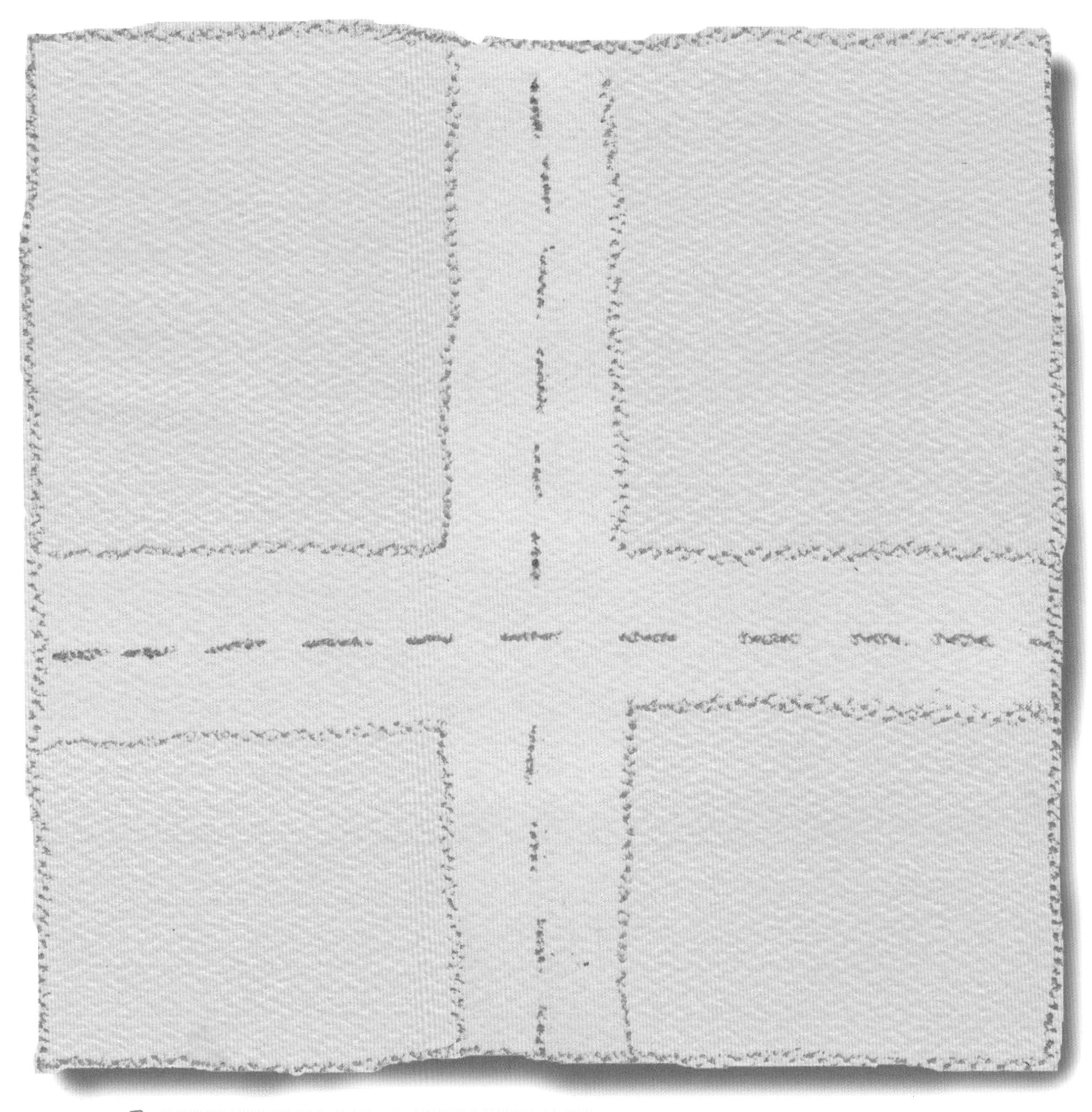

부모님께

약도 그리기는 어린이들이 '지리적 개념'을 습득할 수 있는 좋은 활동입니다. 집 주변에 어떤 것들이 있는지 함께 이야기하고, 약도를 그릴 때는 부모님이 도와주세요.

엄마와 함께 말씀을 읽고 외워 보세요

빈 칸에 115쪽 스티커를 붙이고 가족들도 외울 수 있도록
말씀카드를 방문에 붙여 놓으세요.

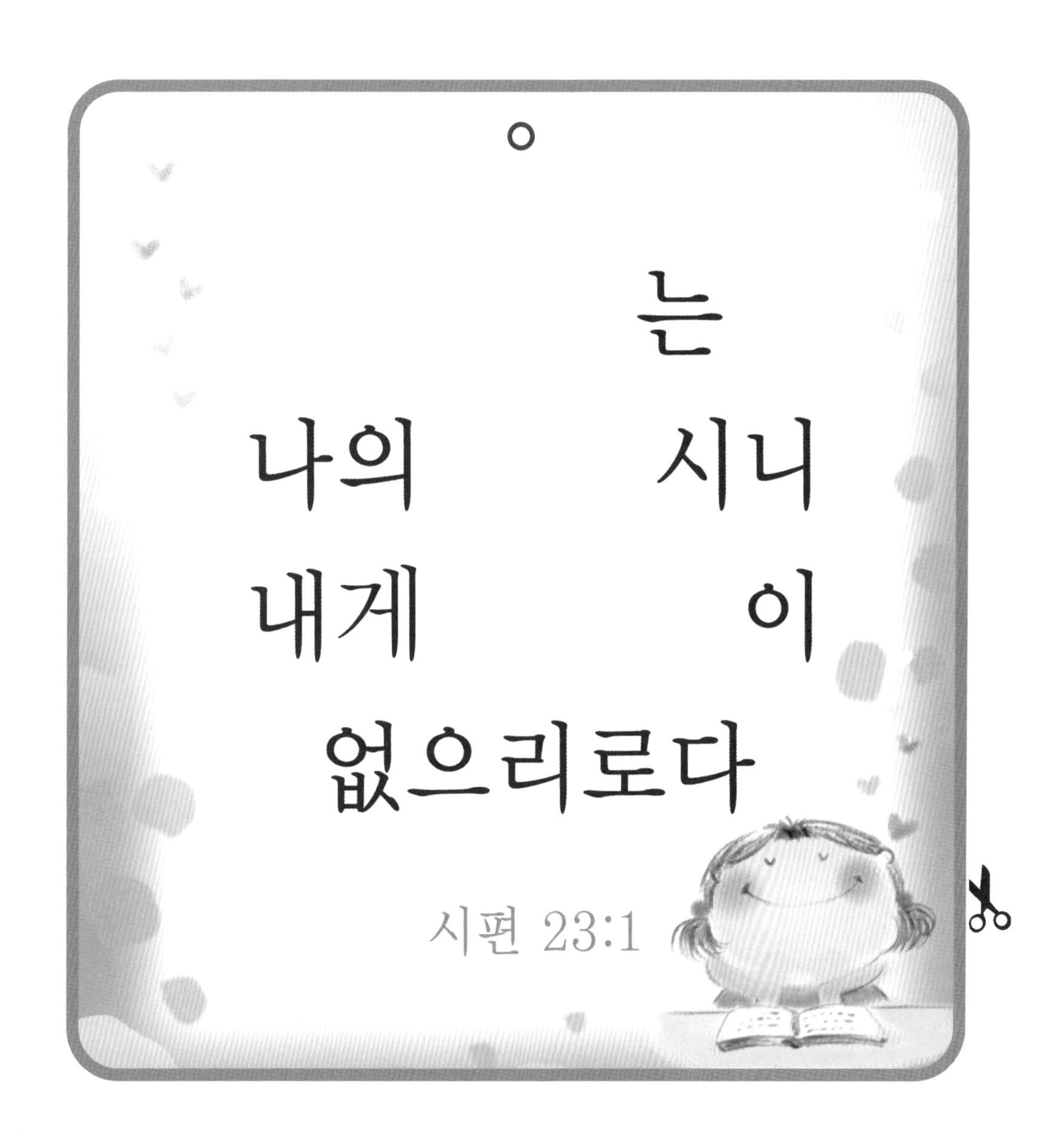

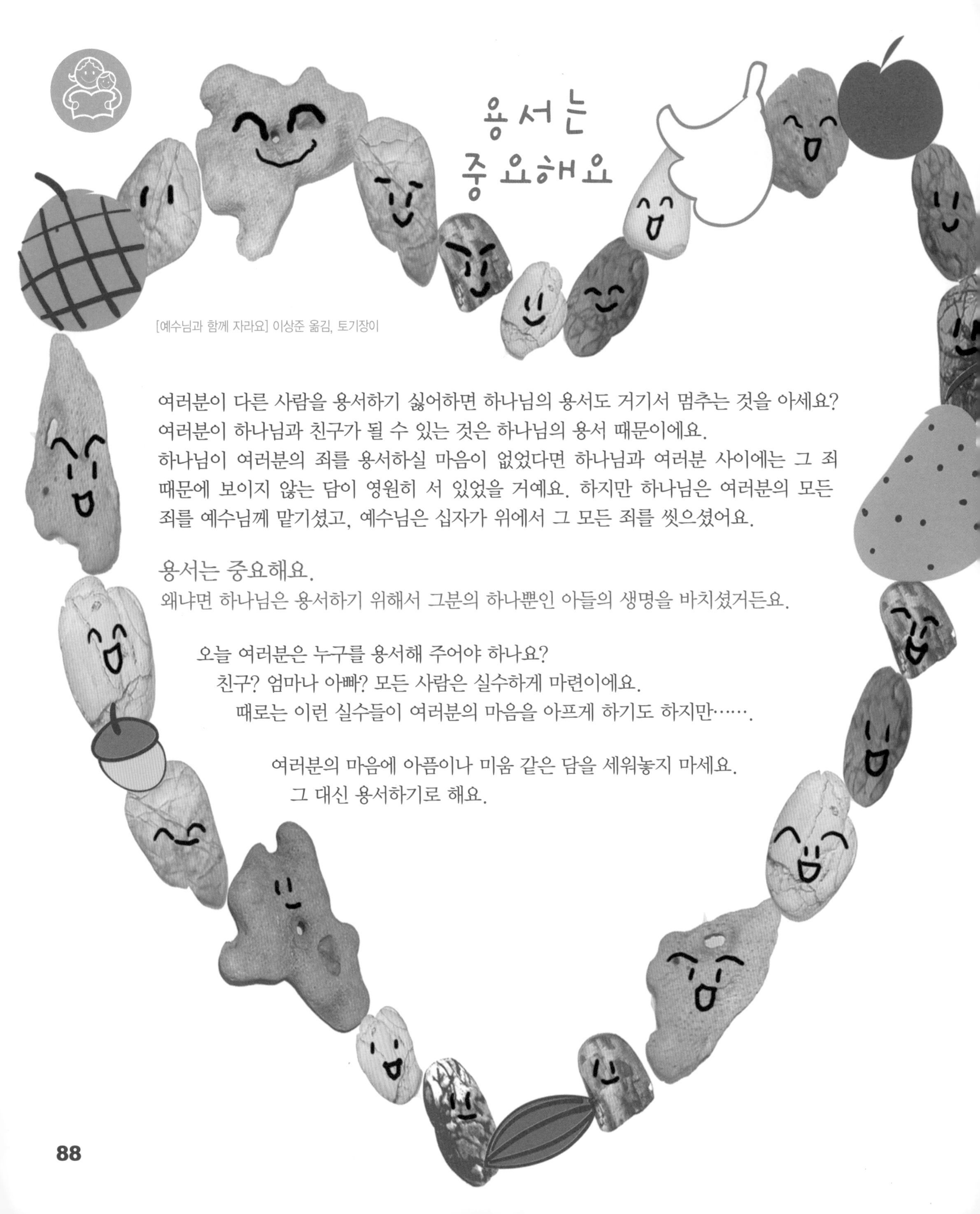

용서는 중요해요

[예수님과 함께 자라요] 이상준 옮김, 토기장이

여러분이 다른 사람을 용서하기 싫어하면 하나님의 용서도 거기서 멈추는 것을 아세요? 여러분이 하나님과 친구가 될 수 있는 것은 하나님의 용서 때문이에요. 하나님이 여러분의 죄를 용서하실 마음이 없었다면 하나님과 여러분 사이에는 그 죄 때문에 보이지 않는 담이 영원히 서 있었을 거예요. 하지만 하나님은 여러분의 모든 죄를 예수님께 맡기셨고, 예수님은 십자가 위에서 그 모든 죄를 씻으셨어요.

용서는 중요해요.
왜냐면 하나님은 용서하기 위해서 그분의 하나뿐인 아들의 생명을 바치셨거든요.

오늘 여러분은 누구를 용서해 주어야 하나요?
친구? 엄마나 아빠? 모든 사람은 실수하게 마련이에요.
때로는 이런 실수들이 여러분의 마음을 아프게 하기도 하지만…….

여러분의 마음에 아픔이나 미움 같은 담을 세워놓지 마세요.
그 대신 용서하기로 해요.

아빠가 보내 주신 카드

아빠의 사랑이 담긴 카드를 받고 싶어요.
아빠, 저한테 카드 보내 주실 수 있죠?

이렇게 해 봐요!

1. 딱지를 떼고 카드를 오려요.
2. 아빠 바지 주머니에 "냉장고를 보세요" 딱지를 넣어요.
3. 냉장고에는 "TV 위를 보세요" 딱지를 붙여요.
4. TV 위에는 카드를 놓아요.
5. "아빠! 바지 주머니를 보세요" 라고 쓰여있는 딱지는 내가 아빠에게 직접 드려요.

부모님께

자녀를 사랑하는 마음을 담은 카드를 써 주세요. 자녀는 부모의 사랑을 통해 하나님의 사랑을 느낀답니다.

냉장고를 보세요

TV 위를 보세요

아빠 바지주머니를 보세요

★ 아빠는 카드에 사랑의 메시지를 담아 아이에게 전해 주세요.

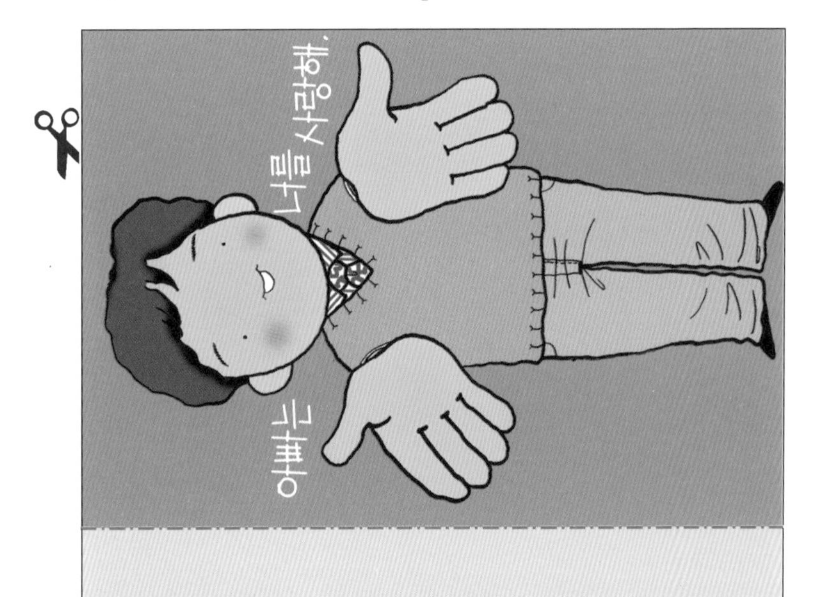

I love you!

가족활동- 박물관 방문하기

박물관에 가기 전에 자녀와 함께 홈페이지를 방문해 보세요.
어떤 것을 보게 될까? 미리 생각하는 시간을 가지면 보다 알찬 관람을 할 수 있습니다.
어린이를 위한 체험 시설이 있는 곳을 선택하시면 박물관을 놀이처럼 좋아하게 됩니다.

국립중앙박물관/어린이박물관 www.museum.go.kr/child/index.jsp
각 지방의 국립 박물관내 어린이 박물관

어린이민속박물관 (서울 경복궁)www.kidsnfm.go.kr
옹기민속박물관(서울 도봉구) onggimuseum.org
삼성어린이박물관(서울 잠실)www.samsungkids.org
별난물건박물관(서울, 부산, 파주)www.funique.com

인천 어린이박물관(인천)www.enjoymuseum.org
아인스 월드(경기도 부천) www.aiinsworld.com
철도박물관(경기도 의왕시)www.korail.go.kr/2003/museum
아라리인형의집(강원도 정선)www.aiinsworld.com

12. 호산나! 왕이신 예수님을 찬양해요

마태복음 21장 1~11절

예수님과 제자들이 예루살렘 성을 향해 먼지가 많이 나는 길을 걷고 있었어요.
예루살렘 성이 가까워 오자 예수님은 두 제자에게 조용히 말씀하셨어요.

부모님께 마태복음 21장의 이야기는 예수님의 예루살렘 입성을 기쁨으로 축하하고 있는 장면입니다. 부모님들도 아이들과 같이 예수님이 우리의 왕이신 것을 함께 기뻐하며 찬양하시기 바랍니다.

"이웃 마을로 가거라.
거기 가면 매여 있는 나귀를 보게 될 것이다.
그 나귀를 풀어 끌고 오너라. 만약
누가 혹시 물어 보거든 주께서
쓰신다 말하여라."

오래지 않아 두 제자들이
나귀를 끌고 왔어요.
한 제자가 예수님이 나귀에
편안히 타실 수 있도록
자기의 겉옷을 벗어
나귀 등 위에
올려놓았어요.
제자들은 예수님이
나귀에 올라타시는
것을 도와 드리고
예수님 옆에서
따라갔어요.
예수님은 둘러싼
사람들 앞으로
나귀를 타고
가셨어요.

많은 사람들이 예수님을 향해 오고 있는 것이 보였어요.
아이들은 손을 흔들며 뛰고, 아빠와 엄마들은 서로 보고 웃고,
할머니와 할아버지들도 웃으며 걸어왔어요.
모두 예수님을 우러러 보며 예루살렘에 오신 것을 축하했어요.
사람들은 예수님이 아주 위대한 왕처럼 특별한 사람이라 생각했어요.

어떤 사람들은 예수님이 편하고 깨끗한 길을 가시도록 겉옷을 벗어서 깔아 드렸어요.
또 어떤 사람들은 종려 나뭇가지를 꺾어 바닥에 펴 드렸어요.
어떤 사람들은 예수님 앞에서 종려나무 가지를 흔들며 소리쳤어요.
"호산나! 다윗의 자손이여. 찬송하리로다, 주의 이름으로 오시는 이여!"
어떤 사람들은 "호산나! 여기 우리 왕이 오셨다!"라고 소리치며 예수님 뒤를 쫓아왔어요.
모든 사람들이 "호산나! 호산나! 호산나!" 하고 외쳤어요.
즐겁고 떠들썩한 행렬이 예루살렘 성에 도착했어요.
예루살렘에 살고 있던 사람들은 예수님을 따르는 행렬을 보고 무슨 일인지 궁금해 했어요.
"누구를 위한 행진일까? 왜 이렇게 떠들썩하지?"
어린이들이 웃으며 큰 소리로 대답했어요.
"호산나! 호산나! 우리의 왕 예수님을 찬양해요!"

예수님은 많은 사람들의 환영을 받으며 예루살렘성에 오셨어요.
모든 사람들이 호산나를 찬송하며 기뻐했어요.
어린이들도 예수님께 큰 소리로 찬양했지요.
예수님은 어린이들의 찬양을 기뻐하셨어요.

생각해요 • '호산나'는 무슨 뜻일까요?

기도해요 호산나 찬양해요, 예수님!

아! 이 느낌

예수님을 환영하던 사람들의 마음은 어떤 느낌이었을까요? 아래 그림 중에서 골라 보세요.
친구와 싸울 때 내 마음은, 예수님을 생각할 때 내 마음은 어떤 느낌인지
아래 그림에서 골라 보세요.

엄마와 함께 말씀을 읽고 외워 보세요

신문이나 잡지에서 필요한 글자를 찾아 붙여 말씀을 완성하세요.
부모님을 따라 한마디씩 읽어 보고 외워 보세요.

그가 여기 계시지 않고
그가 말씀하시던 대로 살아나셨느니라

마태복음 28장 6절

그가 여기 계시지 않고

그가 ☐☐ 하시던 대로

☐☐ 나셨느니라

마태복음 28장 6절

예수님 오시는 날

호산나! 호산나!

예수님이 우리 동네에 오세요

나귀를 타고

환한 미소를 지으며

우리 동네에 오세요

호산나! 호산나!

예수님, 어서 오세요

종려나무 흔들며

휘파람을 불며

우리 왕을 찬양해요

"예수님, 사랑해요"

글씨를 따라 써 보세요.
편지지 한 장 가득 "예수님, 사랑해요"라고 써 보세요.
예수님은 우리의 사랑 편지를 기뻐하실 거예요.

색종이로 하트 모양을 접어 옆에 장식해 보세요.

1. 반으로 접어요.

2. 다시 펴서 윗부분을 반으로 접어요.

3. 중심선을 만들어요.

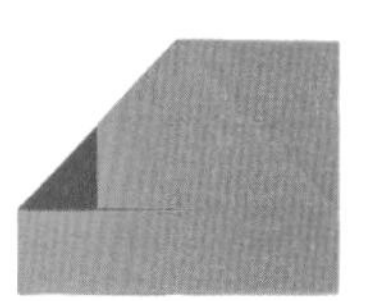

4. 중심선에 맞게 접어요.

5. 양쪽을 마주보게 접어요.

6. 뒤로 돌려요.

7. 뾰족한 끝이 바닥에 닿도록 접어요.

8. 다시 펴세요.

9. 양쪽 귀퉁이를 눌러 접어요.

10. 선대로 접어요.

11. 양 옆을 정리해요.

완성!

가족활동- 고난 주간의 우리 가족 약속

예수님이 우리를 위해 십자가를 지시고 고통을 당하셨던 것을 생각하며
우리도 예수님을 위해 한 가지씩 참아 보는 약속을 해요.

예를 들어 TV 안 보기, 컴퓨터 게임 안 하기 등
가족마다 한 가지씩 약속을 정해서 아래에 적고 지장도 찍어요.

지장

지장

지장

13. 예수님이 다시 살아나셨어요!

마태복음 28장

예수님의 제자들은 너무나 슬펐어요.
예수님이 돌아가셨기 때문이지요.
예수님을 미워하는 사람들이
예수님을 십자가에 못 박고 돌아가시게 했어요.
예수님의 친구 몇 명이 언덕 가까운 곳의
조용한 동산에 있는 빈 무덤에
예수님을 모시고 돌을 굴려 입구를 막았어요.
군사들은 무덤 옆에서 예수님을 지키고 있었어요.
누가 돌아가신 예수님을 훔쳐 갈까 봐서요.

부모님께

자녀들은 예수님께서 십자가에서 죽으신 후 다시 살아나셨다는 것을 배웠습니다. 십자가의 승리가 얼마나 귀하고 기쁜 일인지 가르쳐 주세요. 부활의 첫 열매 되신 예수님을 가족이 함께 찬양하세요.

생각해요 • 다시 살아나신 예수님은 지금 어디에 계실까요?

기도해요 예수님이 다시 살아나셔서 정말 기뻐요.

3일째 되는 새벽에 막달라 마리아와 다른 마리아가 무덤을 보려고 왔어요.
그런데 놀라운 일이 생겼어요!
열린 무덤 안에 예수님이 계시지 않은 거예요.
놀라서 떨고 있는 마리아에게 천사가 기쁜 소식을 들려주었어요.
"너희는 무서워 말라. 십자가에 못 박히신 예수를 너희가 찾는 줄을 내가 아노라.
그가 여기 계시지 않고 그의 말씀하시던 대로 살아나셨느니라.
빨리 가서 제자들에게 예수님이 죽은 자 가운데서 살아나셨고
먼저 갈릴리로 가실 것이니 거기서 제자들을 만나실 것이라고 전해라!"
마리아는 너무 기뻐서 제자들이 있는 곳으로 달려갔어요.

정말 예수님은 살아나셨어요!
예수님의 제자들은 기뻐하며 엎드려 예수님을 경배했어요.
예수님이 부활하셨어요! 살아계신 예수님을 찬양해요!

감사해요, 예수님! 다시 살아나셨어요!

특별한 날!! 다시 살아나신 예수님을 생각하며 멋지게 장식해요.
부록의 달걀 그림을 떼어 금색끈에 매달아 현관 입구나 방문 위에 걸어 보세요.
또는 예쁜 액자를 만들어 꾸며도 좋아요.

엄마와 함께 말씀을 읽고 외워 보세요

흐린 선을 따라 천천히 쓰고 부모님과 함께 한마디씩 주고 받으며 큰소리로 말씀을 외워 보세요.
아래의 말씀카드를 오려 친구에게 선물해요.
예수님의 부활을 말씀으로 전하는 멋진 제자가 되는 거예요.

그가 여기 계시지 않고 그가 말씀하시던 대로
살아나셨느니라 마태복음 28:6

다시 살아날 수 있을까?

예꿈이가 예뻐하는 강아지 '똘똘이'가 죽었어요.

예꿈이는 교회에서 예수님의 부활에 대해 배우게 되었어요.
"엄마, 똘똘이도 예수님처럼 다시 살아날 수 있나요?"
"예꿈아, 똘똘이는 다시 살아날 수 없단다."
"예수님은 죽었다가 다시 살아나셨잖아요.
똘똘이도 내가 열심히 기도하면 살아날 것 같아요."
엄마는 예꿈이를 바라보며 말했어요.
"슬프지만, 다시 살아날 수는 없어.
예수님은 죽음을 이기고 부활하신 첫 열매란다.
다시 예수님이 세상에 오신다면 그 때 부활이 있을 거야."

"그럼 우리 똘똘이도 다시 살아나는 거예요?"
"엄마도 강아지인 똘똘이가 다시 살아날지는 모르지만,
예수님을 믿는 사람들은 확실히 다시 살아난단다."
"난 똘똘이가 보고 싶은데…." 예꿈이가 말했어요.
"그래, 똘똘이가 죽어서 엄마도 슬프구나.
예꿈이와 똘똘이는 정말 좋은 친구였는데…."
엄마는 예꿈이를 꼬옥 감싸주셨어요.
"엄마, 예수님이 다시 오시면,
예수님께 부탁할 거예요. 똘똘이도 다시 살아나게 해달라고…."
예꿈이의 얼굴이 다시 환해졌어요.

색색 카드 그림 짝을 찾아라!

115쪽의 스티커를 떼어 아래의 글을 읽고 알맞은 곳을 찾아 붙여 보세요.
그림과 색깔을 보면서 어떤 느낌이 드는지 이야기해 보세요.

하나님께서 세상을 멋지게 만들어 주셨어요.	사람들이 죄를 지었어요. 서로 미워해요.	예수님이 우리를 위해 십자가를 지셨어요.	하나님 나라에서 행복하게 살아요.

가족활동- 부활소식 전하기

105쪽의 그림을 떼어 선을 따라 접으면 예쁜 상자가 됩니다.
속에 달걀을 넣어 친구에게 선물하세요.
예수님께서 죽었다가 다시 살아나신 소식을 전해요

예수님이
다시 사셨어요!

27쪽

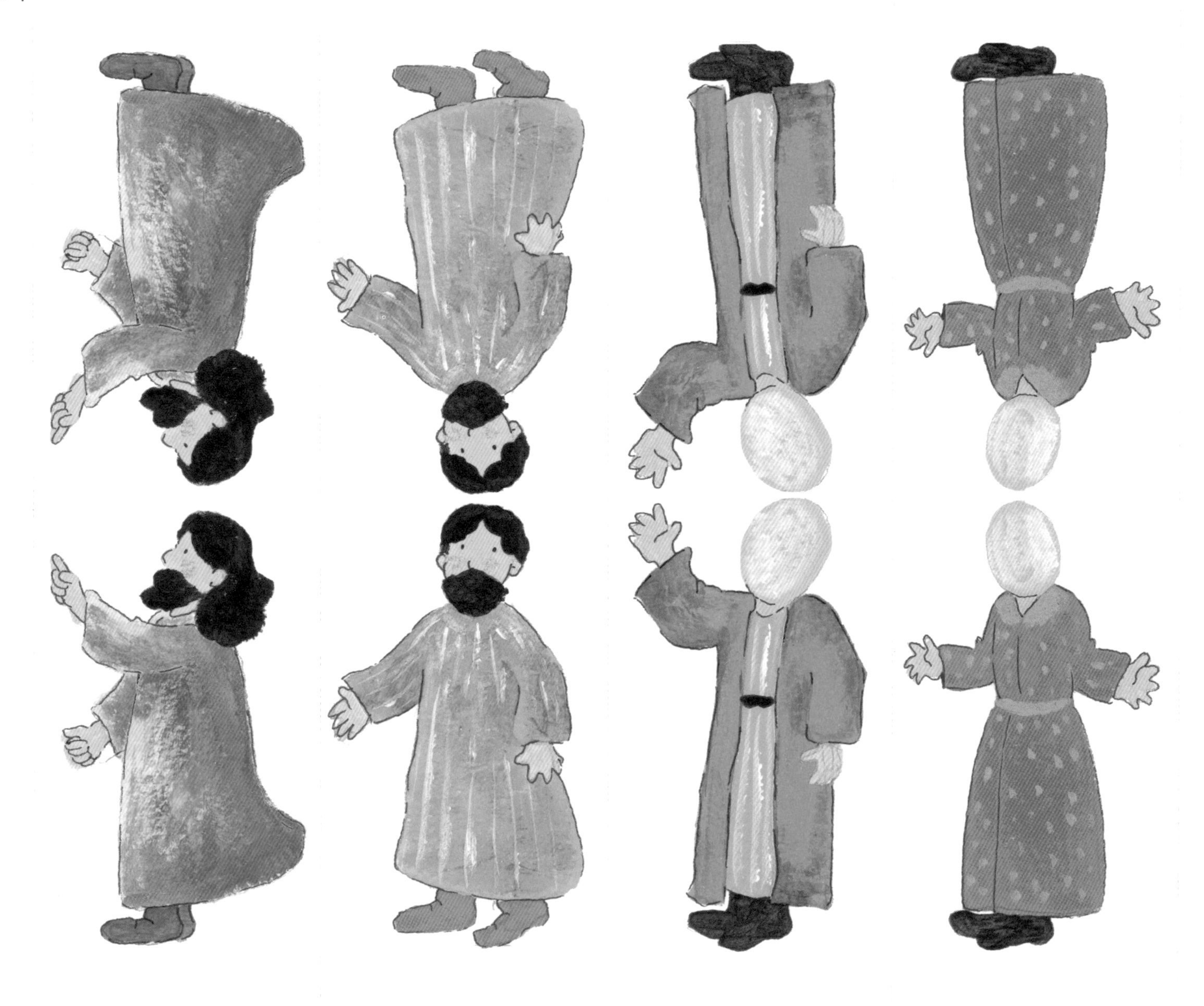

33쪽

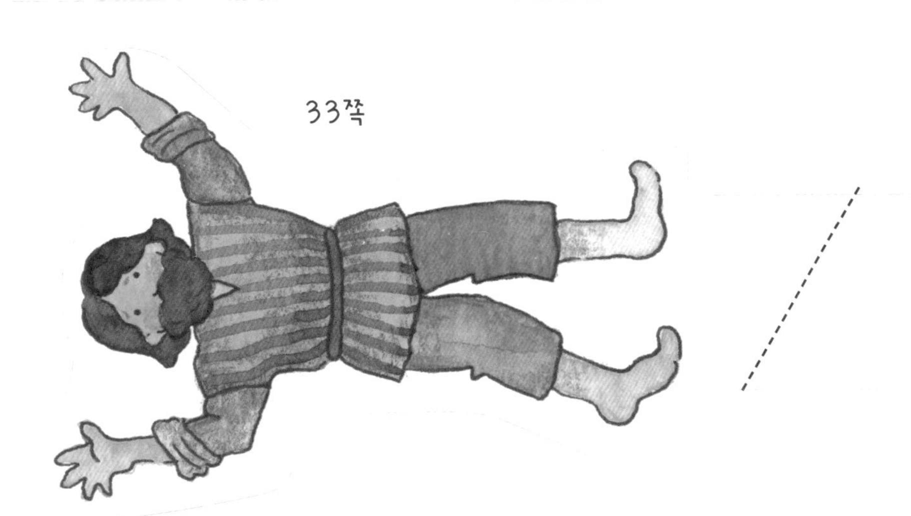

52쪽

44쪽

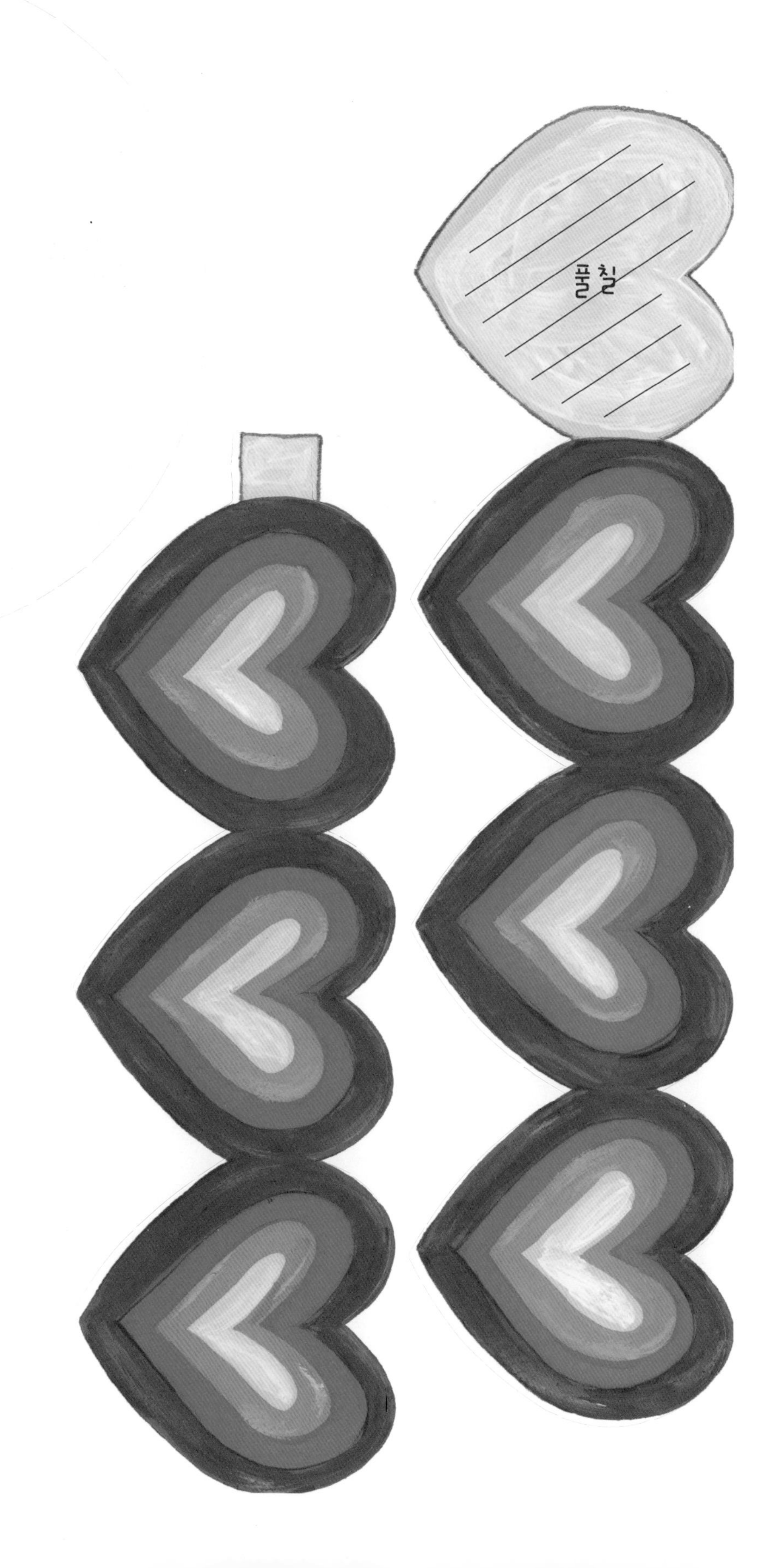
풀칠

83쪽

80쪽

9쪽

어린아이 하나님의 나라

25쪽

하나님 독생자

사랑 영생 세상 이

62~63쪽

29쪽

57쪽

64쪽

1

여오와 부족함 목자

여호와 무족함 복자

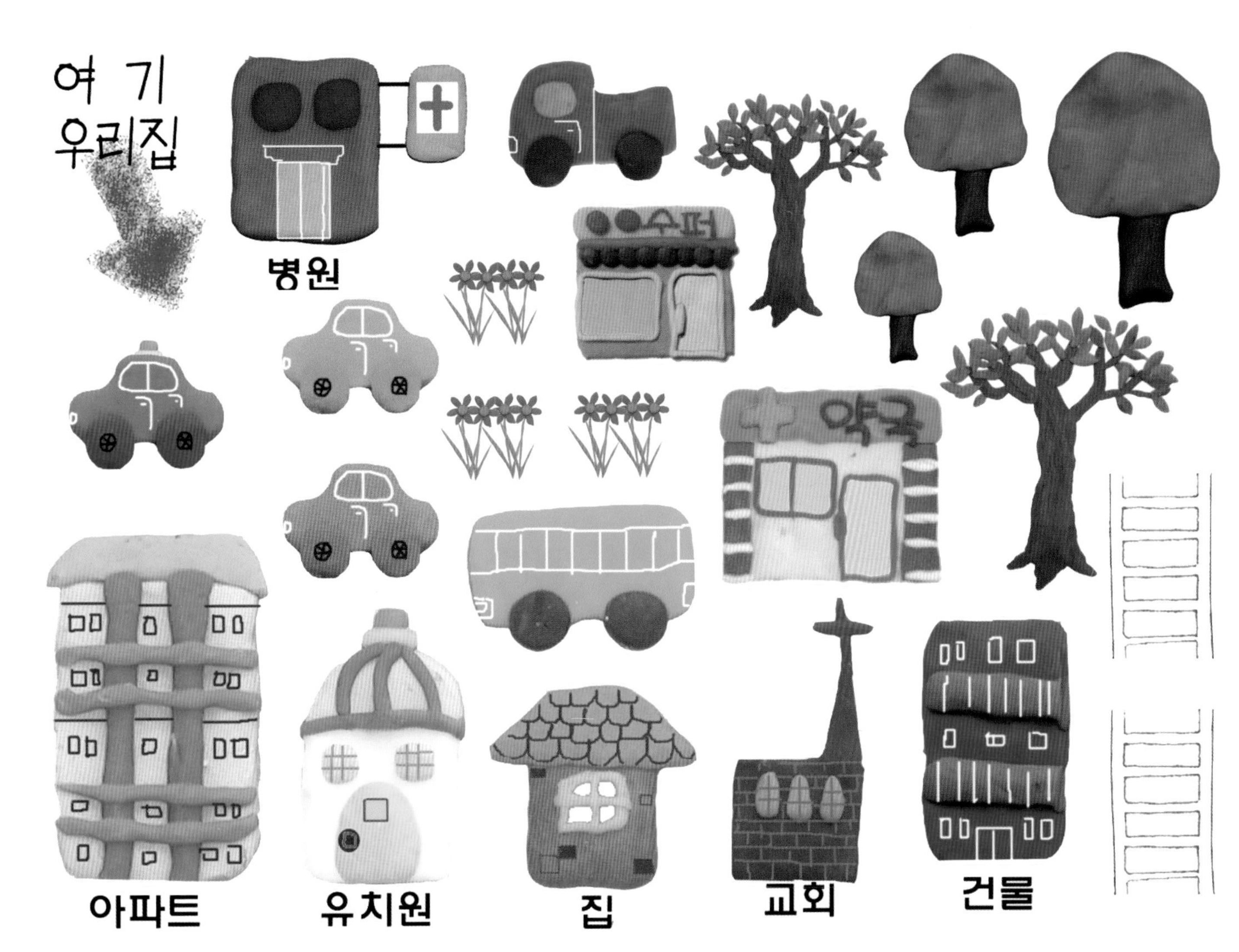

104쪽

87쪽

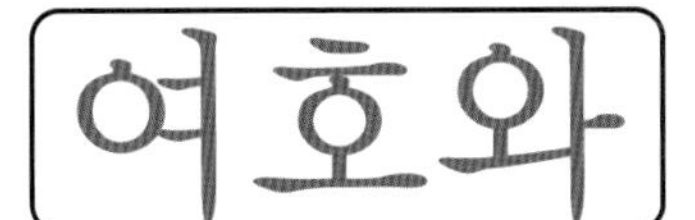

목자

부족함